5 PORTIONS DE FRUITS ET LÉGUMES
essentielles pour votre enfant

NICOLA GRAIMES

5 PORTIONS DE FRUITS ET LÉGUMES
essentielles pour votre enfant

**DES RECETTES, DES CONSEILS ET DES IDÉES QUI VOUS
INSPIRERONT AFIN DE DÉVELOPPER CHEZ VOTRE ENFANT LE
GOÛT ET LE PLAISIR DE MANGER DES FRUITS ET DES LÉGUMES**

97-B, Montée des Bouleaux
Saint-Constant, Qc, J5A 1A9
Tél.: (450) 638-3338 Fax: (450) 638-4338
Web: www.broquet.qc.ca / Courriel: info@broquet.qc.ca

Catalogage avant publication de Bibliothèque et Archives Canada

Graimes, Nicola

    5 portions de fruits et légumes essentielles pour votre enfant

    Traduction de: Gimme five.
    Comprend un index.

    ISBN 2-89000-741-3

    1. Enfants - Alimentation - Besoins. 2. Cuisine (Fruits). 3. Cuisine (Légumes). 4. Légumes dans l'alimentation humaine. I. Titre. II. Titre: Cinq portions de fruits et légumes essentielles pour votre enfant.

RJ206.G7214 2006   613.2'083   C2005-942397-8

Pour l'aide à la réalisation de son programme éditorial, l'éditeur remercie :
Le Gouvernement du Canada par l'entremise du Programme d'Aide au Développement de l'industrie
    de l'Édition (PADIÉ) ;
La Société de Développement des Entreprises Culturelles (SODEC) ;
L'Association pour l'Exportation du Livre Canadien (AELC);
Le Gouvernement du Québec - Programme de crédit d'impôt pour l'édition de livres - Gestion SODEC.

Carroll & Brown Publishers Limited

Styliste culinaire Clare Lewis
Photographe Jules Selmes
Assistant David Yems

Pour l'édition en langue française :
Copyright © Ottawa 2006
Broquet inc.
Dépôt légal — Bibliothèque nationale
du Québec
1er trimestre 2006

Traduit par : Anne-Marie Courtemanche
Révision : Marcel Broquet

ISBN : 2-89000-741-3

Imprimé en Chine

TABLE DES MATIÈRES

Introduction

Ce livre est le résultat de nombreuses conversations avec d'autres mères sur la difficulté de faire manger des fruits et des légumes aux enfants. Il m'est impossible de promettre des miracles, mais les meilleurs conseils tirés de ces conversations, ainsi que des idées pratiques, amusantes et parfois tortueuses, sont utilisés dans ce livre.

combien en faut-il ?

Nous savons tous qu'il est très bon pour la santé et la longévité de manger beaucoup de fruits et de légumes. Qui plus est, la plupart d'entre nous sommes familiers avec les principes directeurs des cinq portions par jour établis par l'Organisation mondiale de la santé et soutenus par des organismes sur la santé et des gouvernements aux quatre coins du monde. Dans plusieurs pays, on trouve maintenant cette quantité comme recommandation minimale. Dr Lorelei di Sogra, directrice de la campagne « Five-a-day » de l'American National Cancer Institute, rappelle que cet organisme recommande un minimum de 5 portions par jour pour les enfants, 7 pour les femmes et 9 pour les hommes.

LES 10 DES CONSEILS LES PLUS FRÉQUENTS

Voici les suggestions les plus populaires des parents.

1   *Mélangez des fruits frais – et même certains légumes – aux boissons fouettées et frappées.*

2   *Ne négligez pas l'élément plaisir : donnez une thématique à vos repas et ne négligez pas la présentation.*

3   *Liquéfiez les légumes et les lentilles ou les haricots dans une sauce tomate pour pâtes.*

4   *Associez vos enfants aux courses hebdomadaires.*

5   *Faites une grosse soupe de légumes et de haricots, et passez au mélangeur jusqu'à l'obtention d'une consistance lisse.*

6   *Faites participer votre enfant à la préparation et à la cuisson des repas.*

7   *Les légumes crus, normalement servis en crudités, sont souvent plus populaires que les légumes cuits.*

8   *Transformez les fruits en sorbets et en mousses.*

9   *Ajoutez des légumes aux repas que les enfants préfèrent, par exemple les burgers, les pizzas, les pommes de terre en purée et les pâtés.*

10 *Commencez bien la journée : un verre de jus de fruits frais et des céréales sur lesquelles vous aurez parsemé des morceaux de fruits frais pour le petit déjeuner vous aideront à atteindre la recommandation de cinq portions par jour.*

D'autres pays recommandent jusqu'à 10 portions. Toutefois, dans notre quotidien, la plupart d'entre nous arrivons à peine à manger trois portions par jour, parfois moins.

Pourquoi s'en faire autant ?

Les fruits et les légumes sont-ils aussi importants que le prétendent les spécialistes de la question ? La réponse est cent fois oui. En particulier si l'on considère l'incidence croissante du diabète, du cancer et des maladies cardiaque non seulement chez les adultes, mais également chez les enfants. Les diététistes coirent que manger un minimum de cinq portions de fruits et de légumes par jour pourrait contribuer à prévenir un très impressionnant vingt pour cent des décès causés par les maladies les plus meurtrières en Occident.

Qu'est-ce qu'une portion ?

Plusieurs parents affirment que le plus difficile dans l'adoption de la recommandation des cinq portions par jour est de déterminer ce qui constitue une portion. Pour les adultes, une portion consiste en 80 g (ou 3 oz) d'un fruit ou d'un légume. Pour les enfants, la quantité recommandée est moins évidente. À mon avis, la mesure la plus pratique d'une portion est la suivante : la quantité de fruits ou de légumes que l'enfant peut tenir dans la paume de sa main. Au fur et à mesure que l'enfant grandit, la portion grossit. Pour vous faciliter la tâche, **5 portions de fruits et légumes essentielles pour votre enfant** vous explique en détail combien de portions d'aliments frais procure chaque recette par personne. Les recettes ont été élaborées pour quatre personnes : deux adultes et deux enfants.

Commencer jeune

Nos habitudes et préférences alimentaires se développent au cours de nos premières années de vie. Il est donc important de proposer la plus grande variété d'aliments possible à un enfant aussi tôt que possible. Mais ne paniquez pas : je connais des enfants qui avaient été habitués à manger à peine mieux que des tartines à la confiture et qui apprécient maintenant un régime alimentaire sain et varié. Il n'est jamais trop tard pour commencer. L'objectif de ce livre est de favoriser l'amour des aliments bons et sains.

Pourquoi cinq ?

Les fruits et les légumes sont considérés par les diététistes comme étant riches en nutriments. Ce qui signifie qu'ils procurent un rapport élevé de vitamines et de minéraux en lien avec les calories qu'ils contiennent. De plus, ils sont normalement faibles en gras, riches en antioxydants et constituent une bonne source de fibres.

La preuve se rattachant aux avantages d'un régime alimentaire riche en fruits et légumes est impressionnante. La recherche a démontré que le fait de consommer au moins cinq portions par jour de fruits et de légumes différents peut réduire jusqu'à vingt pour cent le risque de décès causé par des maladies chroniques. Dans une récente étude on a découvert que le fait d'augmenter l'apport en légumes d'une seule portion par jour peut réduire le risque de maladies cardiaques de quarante pour cent et le risque d'accident cérébro-vasculaire de six pour cent.

La recherche a établi la preuve d'autres avantages, par exemple un délai dans le développement de cataractes, la réduction des symptômes de l'asthme et l'amélioration du fonctionnement des intestins.

En plus des avantages directs pour la santé, la consommation de fruits et de légumes peut contribuer à atteindre d'autres objectifs alimentaires, en particulier ceux qui affectent de plus en plus les enfants. En mangeant au moins cinq portions par jour, les enfants augmentent leur consommation de fibres et diminuent leur consommation de matières grasses et de sucre, ce qui contribue au maintien d'un poids santé.

Les fruits et les légumes sont à ce point bénéfiques qu'ils procurent une vaste gamme de nutriments végétaux connus sous le nom de phytonutriments, ainsi que de vitamines et de minéraux. Plusieurs de ces nutriments sont des antioxydants qui détruisent les radicaux libres

nocifs dans le corps humain. Ces radicaux libres jouent un rôle dans l'apparition du cancer et causent d'autres effets dangereux.

Puis-je tout simplement avaler un comprimé ?

Malheureusement, ce n'est pas si simple que ça. Même si les suppléments alimentaires peuvent aider ceux qui doivent suivre des régimes stricts et ceux qui souffrent de déficiences en certains nutriments, ils ne peuvent remplacer un régime équilibré et riche en fruits et légumes.

La recherche a démontré que les avantages des aliments frais ne sont pas uniquement ceux des vitamines et des minéraux qu'ils contiennent pris isolément, mais aussi la façon dont ils agissent ensemble dans le corps. Les suppléments alimentaires contiennent des vitamines et des minéraux isolés qui ne semblent pas apporter les mêmes bienfaits à la santé. De plus, ils ne peuvent remplacer les phytonutriments qui combattent les maladies et que contiennent les fruits et les légumes. Les nutriments que contiennent les aliments frais fonctionnent en tandem dans le corps humain. Par exemple, les aliments riches en vitamine C, comme les oranges et les citrons, peuvent augmenter votre capacité d'absorption des légumes verts riches en fer jusqu'à trente pour cent. La vitamine C est aussi plus puissante lorsqu'elle est combinée aux bioflavonoïdes, ces éléments chimiques végétaux que l'on retrouve dans les mûres, les cerises, les citrons, les carottes, le chou, les lentilles et les oranges, parmi d'autres, et qui préviendraient certaines formes de cancer.

Une récente recherche de l'Université de l'Illinois, aux États-Unis, soutient cette théorie. On a découvert que consommer ensemble

Bonnes sources végétales de vitamines et minéraux

- *Vitamine C – agrumes, fraises, kiwis, baies, légumes verts, tomates, fèves germées, papayes, poivrons*
- *Vitamine A (béta-carotène) – carottes, citrouilles, abricots, mangues, cantaloup*
- *Vitamine E – avocat, tomates séchées au soleil, coulis de tomates*
- *Vitamines B – lentilles, haricots, légumes verts, algues*
- *Calcium – légumes verts à feuilles alimentaires, abricots, algues, haricots*
- *Magnésium – légumes verts à feuilles alimentaires, fruits séchés, fèves de soja*
- *Fer – persil, légumes verts, amanori, lentilles, haricots, fruits séchés, fèves cuites dans une sauce tomate*
- *Sélénium – lentilles, champignons séchés*
- *Zinc – légumineuses, algues*

POURQUOI CINQ ?

brocoli et tomates pourrait devenir une récente stratégie de pointe dans le combat contre certaines formes de cancer. Ces deux légumes sont reconnus pour leurs effets anticancer, mais des scientifiques croient que ce sont en réalité les lycopènes responsables du rougissement des tomates, et les glucosinolates du brocoli qui sont le fondement de cette découverte.

Vitamines et minéraux

Les vitamines et minéraux sont essentiels à la production d'énergie, au renforcement du système immunitaire, au système nerveux – en fait, à presque tous les systèmes du corps.

Les fruits et les légumes procurent des quantités importantes de bêta-carotène antioxydant (un caroténoïde qui est converti en vitamine A dans le corps), de vitamines C et E, ainsi que de certaines vitamines B, dont l'acide folique. Le bêta-carotène est ce pigment de couleur jaune-orangée que l'on retrouve dans les aliments telles les carottes et les citrouilles. Avec la vitamine C, il joue un rôle dans la protection de notre corps contre les

dommages causés par les radicaux libres dangereux qui détruisent cellules et tissus, et peuvent mener aux maladies cardiaques et au cancer.

Les légumineuses, les fruits séchés et les légumes à feuilles vertes proposent une grande variété de minéraux, dont le calcium et le fer. Les enfants sont tout particulièrement sujets à une carence en fer qui peut provoquer l'apathie, une capacité de concentration faible, des problèmes de comportement et l'irritabilité.

Fibres

Les fruits, les légumes et les légumineuses sont de bonnes sources de fibres solubles qui peuvent réduire le niveau de mauvais cholestérol, maintenir une digestion saine et garder stables le niveau de glucose dans le sang et l'énergie.

Antioxydants

Tel que mentionné précédemment, les nutriments ne fonctionnent pas de façon isolée. Ils comptent plutôt

sur la présence d'autres nutriments pour garantir leur efficacité. Plusieurs vitamines, minéraux et phytonutriments sont des antioxydants qui fonctionnent de concert pour protéger notre corps des effets nocifs des substances appelées radicaux libres, dont le surplus peut nous prédisposer au cancer et aux maladies cardiaques.

Phytonutriments

Des recherches récentes ont identifié un certain nombre de composés végétaux naturels qui pourraient jouer un rôle prépondérant dans la prévention des maladies cardiaques,

du diabète et du cancer. Ces composés pourraient même, à l'avenir, être considérés comme des nutriments essentiels. Il existe des centaines de phytonutriments différents qui se retrouvent dans les aliments végétaux. Non seulement ils comportent de nombreux avantages pour la santé, mais ils sont également responsables de la couleur, de l'odeur et de la saveur d'un fruit ou d'un légume. Nous avons encore beaucoup à apprendre à leur sujet puisqu'ils semblent aider notre corps de plusieurs façons. Une chose cependant est sûre : ils constituent

une part essentielle d'une bonne santé.

Les exemples suivants sont tous des phytonutriments (voir pages 16 et 17 pour connaître les aliments qui les contiennent).

- **Caroténoïdes** – antioxydants puissants qui protègent du cancer et des maladies caridiaques.
- **Bioflavonoïdes** – antioxydants puissants qui stimulent le système immunitaire, ont un effet anti-inflammatoire et protègent contre le cancer.
- **Glucosinolates** – détoxifiants puissants qui stimulent le système immunitaire.
- **Phytoestrogènes** – réduisent le risque de cancers hormonodépendants tels le cancer du sein et le cancer de l'utérus.
- **Organosulfides** – antioxydants qui stimulent le système immunitaire.

Recherche sur l'asthme

Tout comme les autres conditions allergiques tels l'eczéma et la fièvre des foins, l'asthme tend à être héréditaire, même si le nombre d'enfants qui en sont affectés semble sans cesse augmenter. Des études récentes ont démontré un lien entre l'asthme et un régime faible en fruits et en légumes. Un régime qui contient plusieurs types de fruits et légumes joue un rôle préventif, tout en diminuant la gravité des attaques en contribuant à dégager les voies respiratoires.

Qu'est-ce qu'une portion ?

Nous savons tous que les fruits et les légumes sont bons pour nous, mais la plupart d'entre nous ne mangent qu'environ la moitié de la quantité quotidienne recommandée. Et lorsqu'il est question de fruits et légumes et d'enfants, il est parfois difficile d'atteindre même la moitié de l'apport quotidien souhaitable. Faire en sorte que votre enfant mange ses légumes peut être compliqué, mais compliqué ne veut pas dire impossible.

Le rapport fruits-légumes

La quantité de fruits et de légumes dont un enfant a besoin n'est pas la même que pour ses parents. Les professionnels de la santé recommandent de consommer un minimum de cinq portions de fruits et de légumes frais chaque jour. Les adultes devraient manger deux portions de fruits et trois de légumes, alors que les enfants devraient en consommer trois de fruits et deux de légumes. Les enfants ont besoin des calories et de l'énergie supplémentaires fournies par les fruits, plus que par les légumes. Les fruits et les légumes doivent être aussi variés et colorés que possible. Des fruits et des légumes de couleurs différentes procurent une gamme plus variée de nutriments, incluant de la vitamine C, de l'acide folique, du bêta-carotène et des fibres.

Taille des portions

La taille d'une portion pour enfant est aussi différente de celle d'un adulte. D'ailleurs, une portion pour enfant est souvent plus petite qu'on ne le croit. En guise de mesure générale, dites-vous qu'une portion consiste en ce qu'un enfant peut tenir dans une main. La taille de la portion augmente donc au fur et à mesure que l'enfant grandit. Pour les enfants d'âge scolaire, c'est l'équivalent d'environ ½ tasse par portion (une tasse de la taille d'une tasse à café moyenne).

Sources des aliments

Vous pouvez choisir parmi les fruits et légumes frais, congelés, en conserve, séchés ou en jus, même si ces derniers ne comptent que pour une portion, peu importe la quantité bue dans une journée.

Contrairement à la croyance populaire, les aliments congelés et en conserve contiennent souvent davantage de nutriments que les fruits et légumes frais, surtout si ces derniers ont plus de cinq jours. Les fruits et légumes sont congelés rapidement après la récolte. Ils conservent donc une quantité élevée de certains nutriments. Lorsque les aliments sont mis en conserve, ils sont exposés à des chaleurs élevées qui rendent certains nutriments, comme le bêta-carotène et les lycopènes, plus faciles à utiliser par le corps.

Même si les fruits séchés contiennent très peu de vitamine C en comparaison des fruits frais, ils sont une importante source de fer et de fibres.

Qu'est-ce qui ne compte pas ?

Parce que leur contenu en fécule est trop élevé ou que leur contenu en fruits ou légumes est trop faible, les aliments suivants ne peuvent compter pour une portion :

- *pommes de terre, ignames et patates douces ;*
- *boissons aux fruits, concentrés de jus de fruits ou boissons à saveur de fruits ;*
- *yogourts aux fruits ;*
- *confitures et marmelades ;*
- *ketchup et sauce aux tomates dans les haricots au four*

Les repas prêts-à-manger, normalement végétariens, et les salades, soupes et sauces pour pâtes aux tomates préparées pèsent également dans la balance, pour autant qu'ils contiennent un pourcentage élevé de légumes. Pour vous en assurer, consultez l'étiquette ; les aliments qui sont au début de la liste des ingrédients sont présents en quantité supérieure. Plusieurs fabricants de produits alimentaires affichent maintenant le logo « Cinq par jour » sur leurs emballages et indiquent combien de portions représente cet aliment. Mais attention ! Les aliments déjà préparés peuvent aussi contenir des quantités élevées de sel, de sucre et de matières grasses.

Apport quotidien

Dans un monde idéal, les cinq portions minimales recommandées devraient être consommées tout au long de la journée. Pour les enfants, au cours de trois repas principaux et de deux collations. Vous pouvez y arriver, par exemple, en servant :

- un verre de jus de fruits frais (pas de jus fait de concentré ou de boisson aux fruits) au petit déjeuner ;
- une collation fruitée ;
- une soupe aux haricots pour le lunch, suivie d'un morceau de fruit ;
- une collation fruitée ;
- une pizza, des pâtes ou du riz aux légumes, et un dessert fruité.

Accompagnez la soupe de crudités et de hoummos en trempette et le souper de légumes vapeur ou d'une salade, et vous pourrez augmenter votre apport quotidien de 2 à 3 portions.

QU'EST-CE QU'UNE PORTION ?

Les lignes directrices actuelles sur ce qui constitue une portion de fruits, de légumes ou de légumineuses s'inspirent des besoins des adultes. Ces derniers peuvent varier selon les sources officielles que vous consultez. Pour un adulte, une portion est d'environ 80 g (3 oz). Pour les enfants, la quantité est moindre, soit environ une poignée. Les données suivantes sont destinées aux enfants et constituent des évaluations approximatives, alors que les quantités plus grandes s'inspirent des lignes directrices émises par le ministère de la Santé du Royaume-Uni pour les adultes.

TAILLE DES PORTIONS

• Peu importe la quantité que vous buvez, les jus et boissons fouettées aux fruits et aux légumes ne comptent que pour un maximum d'une portion par jour.
•• Peu importe la quantité consommée, les légumineuses ne comptent que pour un maximum d'une portion par jour.

FRUITS

Abricot en conserve, 4 à 6 moitiés
Abricot frais, 1 à 3
Abricot séché, 1 à 3
Ananas concassé, 2 à 3 c. à soupe
Ananas en conserve, 1 à 2 anneaux ou 12 morceaux
Ananas frais, 1 tranche moyenne à épaisse
Ananas séché, 1 c. à soupe comble
Avocat, ½
Banane fraîche, 1 petite à moyenne
Bleuets, 1 à 2 poignées ou 2 à 4 c. à soupe combles
Boisson fouettée aux fruits, verre de 150 ml/5 oz liq.•
Cassis, 2 à 4 c. à soupe combles
Cerises en conserve, 1 poignée ou 3 c. à soupe combles ou 11 cerises
Cerises fraîches, 1 poignée ou 14
Cerises séchées, 1 poignée ou une c. à soupe comble
Chips de bananes, 1 poignée
Clémentines fraîches, 1 à 2
Courge, 1 poignée à 2 c. à soupe
Dattes fraîches, 2 à 3
Figues fraîches, 1 à 2
Figues séchées, 1 à 2
Fraises fraîches, 1 poignée ou 7
Framboises fraîches, 1 à 2 poignées
Framboises en conserve, 1 poignée ou 20
Fruits de la passion, 4 à 6
Fruits mélangés séchés, 1 poignée ou 1 c. à soupe comble

LÉGUMES

Artichaut, 1 à 2 cœurs
Asperges en conserve, 5 à 7 tiges
Asperges fraîches, 3 à 5 tiges
Aubergines 1 poignée ou le tiers d'une moyenne
Betteraves, 2 à 3 petites entières ou 7 tranches
Brocoli, 1 à 2 fleurs
Carottes en conserve, 2 à 3 c. à soupe combles
Carottes fraîches en tranches, 2 à 3 c. à soupe combles
Carottes râpées, 1 poignée ou le tiers d'un bol à céréales
Céleri, 1 à 3 bâtonnets
Champignons séchés, 2 c. à soupe ou une poignée
Champignons, 1 poignée ou 2 à 4 c. à soupe combles
Chou râpé, 2 à 3 c. à soupe combles
Chou vert frisé cuit, 2 à 4 c. à soupe
Chou, tranché, 1 à 2 poignées
Chou-fleur, 1 poignée ou 4 à 8 fleurs
Choux de Bruxelles, 4 à 8
Ciboule, 1 poignée ou 8 oignons
Citrouille, 1 poignée à 2 c. à soupe en dés
Concombre, 2 morceaux de 5 cm
Coulis de tomates, 1 c. à soupe comble
Courgettes, 1 poignée ou la moitié d'une grosse
Épinards cuits, 1 à 2 c. à soupe combles
Épinards frais, 1 poignée ou 1 bol à céréales

Groseilles, 1 poignée
Jus de fruits, verre de 150 ml/5 oz liq.•
Kiwis, 1 à 2
Litchis frais ou en conserve, 4 à 6
Mandarine fraîche, 1 petite à moyenne
Mandarine Satsuma, 1 à 2 petites
Mandarines en conserve, 2 à 3 c.
   à soupe combles
Mangue, 1 à 2 tranches (tranches
   de 5 cm)
Melon, 1 tranche (de 5 cm)
Mûres, 1 poignée ou 9 à 10
Nectarine fraîche, 1
Orange fraîche, 1
Oranges de Tanger, 1 à 2 petites
Pamplemousse frais, ½
Papaye fraîche, 1 tranche

Pêche en conserves, 2 moitiés
   ou 7 tranches
Pêche fraîche, 1 petite à moyenne
Pêches séchées, 1 à 2 moitiés
Poire en conserves, 2 moitiés
   ou 7 tranches
Poire fraîche, 1 petite à moyenne
Poires séchées, 1 à 2 moitiés
Pomme en purée, 2 c. à soupe combles
Pomme fraîche, 1 petite à moyenne
Prunes en conserve, 4 à 6
Prunes séchées, 2 à 3
Prunes, 1 à 2 moyennes
Quartiers de pamplemousse en conserve,
   2 à 3 c. à soupe combles
   ou 8 quartiers
Raisins de Corinthe, 1 c. à soupe comble

Raisins de Smyrne, ½–1 c. à soupe
   comble
Raisins, 1 poignée
Raisins, ½–1 c. à soupe comble
Rhubarbe cuite 2 c. à soupe combles
Rhubarbe en conserve, 3 à 5 morceaux
Rondelles séchées de pomme,
   1 poignée ou 2 à 4 rondelles
Salade de fruits en conserve,
   2 à 3 c. à soupe combles
Salade de fruits fraîche, 2 à 3 c.
   à soupe combles

Feuilles de chou vert cuit, 2 à 4 c.
   à soupe combles
Haricots d'Espagne, 2 à 4 c. à soupe
   combles
Haricots verts, 2 à 4 c. à soupe combles
Jus de légumes, verre de 150 ml/
   5 oz liq.•
Laitue (feuilles mélangées) 1 bol à céréales
Légumes mélangés congelés, 2 à 3 c.
   à soupe
Maïs sucré en conserve, 2 à 3 c.
   à soupe combles
Maïs sucrés miniatures, 1 poignée ou
   6 épis
Maïs sur l'épi, ½ à 1
Oignon frais, 1 poignée ou 1 moyen
Oignon, 1 c. à soupe comble
Okras, 1 poignée ou 16 moyens

Panais, 1 moyen à gros
Poireaux, 1 petit à moyen (la portion
   blanche seulement)
Pois congelés, 2 à 3 c. à soupe combles
Pois en conserve, 2 à 3 c. à soupe
   combles
Pois frais, 2 à 3 c. à soupe combles
Pois mange-tout, 1 poignée
Pois Sugar Snap, 1 poignée
Poivrons frais, 1 poignée ou ½
Radis, 1 poignée ou 10
Rutabaga en dés, 2 à 3 c. à soupe
   combles
Tomates fraîches, 1 moyenne
   ou 1 poignée
Tomates italiennes en conserve, 1
   à 2 entières
Tomates séchées au soleil, 2 à 4 morceaux

LÉGUMINEUSES ••
Favelottes (gourganes) cuites, 1 poi-
   gnée ou 2 à 3 c. à soupe combles
Fèves germées ou lentilles, 1 poi-
   gnée ou 2 à 3 c. à soupe
Germes de soja frais, 1 à 2 poignées
Haricots à œil noir cuits, 1 poignée
   ou 2 à 4 c. à soupe combles
Haricots cannellinos cuits, 1 poi-
   gnée ou 2 à 3 c. à soupe combles
Haricots jaunes cuits, 1 poignée
   ou 2 à 3 c. à soupe combles
Haricots rouges cuits, 1 poignée
   ou 2 à 3 c. à soupe combles
Lentilles, 1 poignée ou 2 à 3 c.
   à soupe
Pois chiches cuits, 1 poignée
   ou 2 à 3 c. à soupe combles

Manger un arc-en-ciel...

Un bon moyen de maintenir l'intérêt d'un enfant pour la nourriture est de faire de l'heure des repas un moment agréable et amusant. Le tableau d'autocollants qui se trouve à la fin de ce livre est un bon moyen d'associer les enfants au relevé des types de fruits et légumes qu'ils mangent chaque jour ! Vous pourriez même aller un peu plus loin en notant les couleurs des fruits et des légumes qu'ils mangent ! Et pour cause. Selon les recommandations, nous devons essayer de manger un arc-en-ciel de couleurs de fruits et légumes chaque jour. La variété est la clé puisque chaque couleur propose une gamme de phytonutriments sains (nutriments végétaux), de vitamines et de minéraux.

Rouge

Tomates, poivrons doux, fraises, framboises, melon d'eau, groseilles rouges, raisins, cerises, oignons rouges, pommes, radis, rhubarbe, haricots rouges.

Ces fruits et légumes (à l'exception des haricots) sont de bonnes sources de vitamines C et E, de bêta-carotène et de plusieurs phytonutriments, y compris les lycopènes. Ceux-ci sont responsables de la couleur rouge naturelle des tomates et nous protègent des maladies cardiaques et de certains cancers. Les lycopènes sont davantage biodisponibles lorsque la tomane a été cuite ; sous forme de sauce pour pâtes aux tomates ou de coulis de tomates, c'est une meilleure source que la salade de tomates crues. Le fer est également présent en quantités appréciables dans les haricots, tout comme les fibres et un certain nombre de vitamines B.

Orange

Poivrons sucrés, carottes, citrouille, rutabaga, oranges, clémentines, oranges de Tanger, mandarines, melon, nectarines, pêches, courges, mangue, papaye, abricots, goyave, lentilles.

Ce sont les flavonoïdes qui donnent aux agrumes leur pigment orange. Ce sont des antioxydants phytonutriments qui contribuent à l'absorption de la vitamine C. Les citrouilles et les courges contiennent quatre fois plus de bêta-carotène qu'une grosse carotte, ce qui est d'autant plus impressionnant lorsqu'on considère qu'une seule carotte contient l'apport quotidien recommandé. Les antioxydants que sont la vitamine C et le bêta-carotène se trouvent en quantités importantes dans tous les aliments qui précèdent. Les lentilles constituent une bonne source de fer, de zinc, d'acide folique, de manganèse, de sélénium, de phosphore et de certaines vitamines B.

Jaune

Bananes, poivrons doux, courgettes, ananas, melon, prunes, germes de haricot, courge à la moelle, maïs sucré, pamplemousse, pois chiches et fèves de soja.

Les pigments jaunes que l'on retrouve dans les fruits et légumes ci-dessus existent en raison de la présence de composés végétaux connus sous le nom de caroténoïdes. On croit qu'ils travaillent de concert avec d'autres caroténoïdes, responsables des aliments rouges et oranges, pour contribuer à nous protéger du cancer et des maladies cardiaques. Les fèves de soja offrent une protéine complète et sont riches en isoflavones qui luttent contre le cancer. Les bananes contribuent à protéger le corps des infections et renforcent le système digestif. Elles proposent également des quantités intéressantes de potassium.

Vert

Brocoli, chou, choux de Bruxelles, poivrons doux, pois, courgettes, pommes, poires, kiwis, avocats, épinards, laitue, raisins, groseilles, luzerne, asperges, flageolets, favelottes (gourganes).

La lutéine est un caroténoïde présent dans les légumes vert foncé. Grâce à ses propriétés anticancérogènes prometteuses, la lutéine contribue aussi à prévenir la cécité liée à l'âge. Le brocoli est sans contredit un super légume puisqu'il est riche en phytonutriments qui renforcent le système immunitaire et protègent contre le cancer. Les choux de Bruxelles et le chou ont des propriétés similaires. Le kiwi contient plus de vitamine C que les oranges, alors que les pommes procurent de la pectine, une fibre soluble qui débarrasse le corps des toxines indésirables. Les avocats proposent un équilibre parfait de glucides, de protéines et de bons gras.

Violet

Bleuets, cassis, mûres, aubergines, figues, betterave, chou rouge, prunes, raisins, haricots noirs.

Comme tous les haricots, les haricots noirs contiennent de l'acide folique qui contribue à la fabrication des globules rouges du sang, et sont riches en zinc et en fer qui stimulent le système immunitaire. Riches en phytonutriments, y compris des bioflavonoïdes, les fruits et légumes violets contiennent également de bonnes quantités de vitamine C. Les raisins noirs qui sont en réalité violets sont souvent donnés aux convalescents et pour cause : ils ont des propriétés antivirales et antibactériennes. Ils peuvent aussi améliorer la condition de la peau. De leur côté, les mûres ont un effet nettoyant sur le corps, contribuant au processus de détoxication.

Solutions rapides

PETIT DÉJEUNER

Il nous arrive tous de manquer d'inspiration de temps à autre lorsque vient le temps de préparer des repas pour nos enfants.Mais grâce à un peu de planification, l'augmentation de leur consommation de fruits et de légumes ne devrait pas être difficile. Si votre enfant fait partie de ceux qui ne sont même pas tentés par un jus de pomme ou qui lève le nez sur tout ce qui ressemble à une feuille ou est vert, le subterfuge risque d'être votre seule porte de sortie ! Ces solutions rapides vous donneront des idées sur les façons de donner un petit coup de pouce nutritionnel aux aliments préparés ou faits maison.

Le nombre de portions indiqué pour chaque suggestion correspond à la quantité de légumes ou de fruits qu'un enfant peut tenir dans sa main.

Le petit déjeuner est une belle occasion pour augmenter la consommation quotidienne de fruits et de légumes de votre enfant puisque les petits déjeuners complets se préparent en peu de temps. Nous savons tous maintenant que les enfants qui mangent un bon petit déjeuner le matin performent mieux à l'école. De plus, la recherche a démontré que sauter le premier repas de la journée peut mener au développement d'habitudes de grignotage d'aliments riches en matières grasses et en sucre au cours de la matinée. Le premier repas de la journée devrait fournir à l'enfant 25 % de ses besoins quotidiens en nutriments. Les idées suivantes vous aideront à atteindre cet objectif. Pourquoi ne pas remplacer les céréales très sucrées par quelques-unes des idées suivantes ?

Si vous avez un extrateur de jus, utilisez-le pour faire du jus de pomme ou de carotte frais, ou du jus d'orange et de mangue.

Si vous n'en avez pas, un verre de jus de fruits frais (non fait de concentré ni une boisson aux fruits) est un moyen simple de vous assurer que votre enfant est sur la voie d'atteindre ses cinq portions par jour.

Si votre enfant refuse de manger un fruit entier, par exemple une pomme, servez-lui cette pomme en tranches ou en quartiers, puisque cela lui semblera plus attrayant ; essayez des tranches d'orange, de banane, de melon, de mangue, de nectarine, de pomme ou de pêche, et disposez-les de façon amusante dans une assiette colorée.

Une pomme en compote avec une pincée de cannelle devient une superbe garniture pour un muffin, une crêpe ou une gaufre aux fruits.

Combinez du chou cuit à la vapeur haché et des pommes de terre en purée et un œuf battu. Formez des galettes et faites frire à plat, et vous obtiendrez de succulentes galettes de pommes de terre.

Si vous servez un petit déjeuner cuisiné, n'oubliez pas l'élément légumes : une saucisse aux légumes, des tomates grillées, des champignons tranchés et des haricots au four, par exemple. Chaque poignée du légume/haricot choisi compte pour une portion individuelle.

Ajoutez des fraises en purée et une cuillère à thé de miel au yogourt nature.

Écrasez une banane dans un mélange pour crêpes. Ajoutez des tranches de mangue et du yogourt sur les crêpes.

Ajoutez une cuillère de purée de fruits à un bol de gruau chaud.

Ou encore, ajoutez-y une banane écrasée.

Les pommes râpées sont délicieuses lorsqu'elles sont combinées au müesli et agrémentées de lait ou de yogourt riche en calcium.

Faites revenir de la ciboule et un quartier de poivron rouge coupé en dés et mélangez aux œufs brouillés.

Trempez des tiges d'asperges et des bâtonnets de poivron rouge dans un œuf à la coque.

Mélangez une tomate grillée en morceaux ou une tomate italienne en conserve dans une portion de haricots au four et servez avec des rôties de pain de blé entier.

Pour créer une délicieuse boisson fouettée aux fruits, versez dans un mélangeur des quantités égales de yogourt et de lait avec des baies, une banane ou des pêches, et mêlez jusqu'à obtention d'une consistance crémeuse.

Idéalement, les cinq portions recommandées de fruits et de légumes devraient être réparties sur toute la journée. Il est souvent difficile d'évaluer combien de ces portions procurent les repas de la cantine ou de la cafétéria de l'école. Par contre, il est plus aisé de les évaluer lorsqu'on fait des lunchs maison.

Augmentez l'apport en nutriments d'une soupe aux légumes du commerce en ajoutant des lentilles ou des haricots cuits. Passez au mélangeur si vous préférez un potage. Ajoutez-y une cuillère de hoummos maison (voir page 121) ou d'oignons frits croustillants pour augmenter davantage l'apport en légumes/haricots.

2

Ajoutez des tranches de carottes vapeur à une sauce tomate déjà préparée. Mélangez pour obtenir une sauce lisse. Ajoutez une poignée de champignons, de poivrons doux, de céleri, d'oignons en dés ou de légumineuses, ou encore de lentilles rouges cuites pour obtenir d'une portion de plus.

2

Recouvrez une pâte de pizza du commerce d'une sauce tomate maison et de l'un (ou plusieurs) des ingrédients suivants : une poignée de champignons tranchés, des épinards, des tranches d'oignons ou de courgettes, du maïs sucré, des olives, des pois ou des poivrons doux. Chaque type de légume choisi compte pour une portion individuelle.

1

Bien des enfants préfèrent les légumes crus aux légumes cuits. Les bâtonnets de carotte, de céleri, de poivron rouge et de concombre sont les plus communs, mais vous pouvez aussi essayer les pois mange-tout, les ciboules, les maïs miniatures, les fèves germées, les fleurs de brocoli ou de chou-fleur et le fenouil. En guise de trempette, adoptez la guacamole, le hoummos, la trempette de haricots ou les purées de légumes. Chaque type de légume choisi compte pour une portion individuelle.

1

Les pizzas sucrées sont également amusantes à créer. Recouvrez une base de pâte feuilletée de tranches de pomme, de pêche, de nectarine ou de poire. Ajoutez un peu de miel ou de sirop d'érable et faites cuire à 200 °C pendant 25 à 30 minutes. L'été, essayez des brochettes de fruits ou faites des papillottes en papier d'aluminium remplies de fruits, et faites-les cuire au barbecue.

1

Impossible de se tromper avec une salade de fruits frais. Combinez des morceaux de mangue, d'orange et de fraise dans un bol et versez-y un petit verre de jus d'orange frais. Ou encore, pour la boîte à lunch, créez votre propre mélange de fruits séchés.

3

Les haricots et fèves en conserve, par exemple les pois chiches, les haricots cannellinos et les haricots rouges, peuvent constituer la base d'une salade nutritive. Combinez-les à des tomates épépinées en dés, à des poivrons rouges et à des ciboules hachées, et à des cubes de fromage à pâte ferme. Ajoutez huile d'olive et vinaigre balsamique ou un mélange de mayonnaise et de pesto. Chaque poignée du légume/haricot choisi compte pour une portion individuelle.

4

Le repas du soir est un bon moment pour vous assurer que votre enfant a mangé ses cinq portions de fruits et de légumes. De plus, certains fruits et légumes, par exemple les bananes et la laitue, contribuent à un sommeil réparateur (et lorsqu'une banane est combinée à du lait, vous obtenez la meilleure combinaison qui soit pour une collation d'avant dodo).

Les pâtes demeurent un des mets préférés et la base parfaite d'une sauce aux légumes. Ajoutez des épinards coupés à un pesto du commerce. Le chou-fleur, le brocoli, les poireaux et les champignons peuvent être ajoutés au macaroni au fromage.

Chaque poignée du légume/haricot choisi compte pour une portion individuelle.

Même si les pommes de terre au four ne comptent pas comme une portion, les garnitures, elles, le peuvent ! Essayez un mélange de salade de chou maison (voir page 90) et de fromage râpé. La ratatouille en conserve ou maison, le cari de légumes, le ragoût de haricots ou même les haricots au four en conserve constituent autant d'options intéressantes.

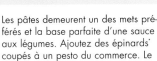

Ajoutez vos légumes ou haricots préférés aux soupes, ragoûts, caris et plats cuits au four du commerce pour augmenter leur apport nutritionnel.

Chaque type du légume/haricot choisi compte pour une portion individuelle.

Ajoutez des carottes et des oignons râpés cuits à des pommes de terre en purée ou à des galettes ou röstis maison (voir page 71). Le panais et le céleri rave sont de bonnes alternatives aux traditionnelles pommes de terre en purée.

Combinez du boeuf haché maigre avec de l'oignon et des carottes râpées, des herbes, des champignons hachés et un oeuf battu pour créer un burger maison aussi simple que délicieux.

Vous pouvez aussi remplacer le boeuf par des haricots en purée en conserve ou des lentilles cuites pour obtenir une portion de légumes/haricots de plus.

Cuisinez vos propres gelées de fruits frais avec du jus fraîchement pressé au lieu de l'eau, et une sélection de fruits coupés.

Ou encore, pour créer rapidement une crème glacée à la banane, emballez une banane mûre et pelée dans une pellicule plastique et congelez.

Vous pouvez aussi créer des sucettes glacées aux fruits frais. Réduisez en purée une mangue, des fraises ou des pêches et du yogourt nature, puis versez dans des moules et congelez. Ou mélangez de la compote de fruits dans une crème glacée à la vanille ramollie.

Ou encore, vous pouvez utiliser seuls les jus de fruits fraîchement pressés.

Penser santé

Il ne suffit pas de penser à la fraîcheur des aliments, il faut aussi penser à notre façon de les apprêter. La façon dont vous magasinez et dont vous préparez et cuisinez les aliments a une influence majeure sur l'état nutritionnel des fruits ou des légumes. Par exemple, il existe une grande différence dans le contenu en nutriments d'une pomme biologique d'une ferme locale fraîchement cueillie et une pomme qui a parcouru la moitié de la planète et qui a été présentée dans un étalage de fruits sous une lumière vive pendant trop longtemps. D'autres éléments à garder en tête sont le temps pendant lequel la pomme est conservée à la maison et si la pomme sera mangée crue ou cuite.

Passez au bio

Les aliments frais biologiques sont maintenant faciles à trouver et même s'ils sont un peu plus chers, leurs avantages sont nombreux. On croit que les enfants sont davantage vulnérables aux effets des pesticides que les adultes. Par exemple, il existe des preuves sérieuses indiquant un lien entre les résidus de pesticides et les allergies, ainsi que l'hyperactivité chez l'enfant. L'autre raison pour laquelle il est préférable d'opter pour des produits biologiques locaux est que certains produits « frais » ne le sont pas autant qu'ils en ont l'air. Les pommes et les carottes, par exemple, peuvent être entreposées jusqu'à 12 mois en atmosphère contrôlée. Les pommes de terre destinées à un

Achetez bio, achetez local

Plusieurs raisons justifient l'achat de fruits et légumes bio chez vos détaillants locaux de produits naturels ou marchés d'agriculteurs. La plus importante est de faire participer les enfants ; ils apprécieront ainsi davantage les aliments sains. Le fait de savoir d'où vient leur nourriture et à quel point celle-ci peut avoir bon goût encouragera votre enfant à apprécier de « vrais » aliments dès le plus jeune âge.

entreposage à long terme peuvent être vaporisées d'un inhibiteur chimique de germes, alors que les agrumes sont plutôt vaporisés d'un agent de conservation à base de cire.

Les fruits et légumes biologiques tendent à avoir un meilleur goût puisqu'ils ne sont pas cultivés pour absorber des quantités excessives d'eau et qu'ils sont normalement cultivés dans des sols de meilleure qualité. De plus, ils mûrissent plus longtemps sur le plant, plutôt que d'être mûris artificiellement, un processus qui peut affecter à la fois le goût et la quantité de nutriments.

Des études ont démontré que des niveaux inférieurs d'eau dans les produits biologiques se traduisent par une concentration plus élevée de vitamines et de minéraux. Cependant, la plupart des fruits et légumes biologiques que nous trouvons en magasin ne sont pas issus d'une production locale. Pour cette raison, il est intéressant de visiter les marchés d'agriculteurs locaux, les marchands de fruits et légumes réputés, d'envisager l'achat la vente d'aliments en vrac ou d'acheter directement des producteurs.

Conseils de magasinage

Frais, congelés, en conserve ou séchés ? Les fruits et les légumes sont offerts sous plusieurs formes. Il vous faut donc d'abord déterminer quelle forme répond le mieux à vos besoins.

Règle générale, les produits frais devraient constituer votre premier choix. Idéalement, achetez aussi frais que possible et en petites quantités plutôt que d'acheter pour toute la semaine puisque les fruits et les légumes perdent de leurs qualités nutritives avec le temps. Les nutriments diminuent en effet à partir de trois à cinq jours après la cueillette. Achetez des produits frais des détaillants dont le renouvellement de la marchandise est fréquents et évitez les fruits et légumes disposés près d'une fenêtre ensoleillée ou trop éclairée puisque cela influence les niveaux de nutriments. Les produits frais en vrac sont beaucoup plus faciles à choisir : recherchez des fruits et légumes fermes et sans taches. Soyez prudent face aux offres spéciales puisqu'elles indiquent souvent que le détaillant dispose d'un surplus dont la date limite de vente approche.

Les produits en conserve et congelés sont pratiques et souvent moins coûteux que les produits frais. Il est d'ailleurs toujours pratique d'en avoir sous la main. Ils peuvent également être plus nutritifs que certains produits frais, en particulier ceux qui sont sur les étalages depuis longtemps.

Achetez des boîtes de conserve intactes et vérifiez la date « meilleur avant ». Recherchez les marques qui n'ajoutent ni sel ni sucre. Achetez toujours les fruits en conserve dans leur jus naturel plutôt que dans le sirop.

Lorsque vous achetez des fruits ou légumes congelés, vérifiez la date limite de vente et tâtez l'emballage pour vous assurer que son contenu, par exemple des pois, ne sont pas congelés en un paquet puisque cela peut signifier qu'ils ont été décongelés et recongelés, ce qui peut provoquer une perte de vitamine C et constituer un risque pour la santé. Veillez à choisir les aliments congelés en dernier lorsque vous faites l'épicerie ou apportez un sac isolant qui les conservera bien congelés jusqu'à votre arrivée à la maison.

Fraîcheur, fraîcheur...

Lorsque vous arrivez à la maison avec vos aliments frais, vous devez les ranger adéquatement pour préserver leur qualité et leurs précieux minéraux et vitamines. Un support à légumes dans un endroit frais et sec sera parfait pour la plupart

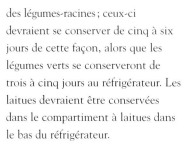

des légumes-racines ; ceux-ci devraient se conserver de cinq à six jours de cette façon, alors que les légumes verts se conserveront de trois à cinq jours au réfrigérateur. Les laitues devraient être conservées dans le compartiment à laitues dans le bas du réfrigérateur.

Lorsque vous rangez des fruits telles des pommes, des poires et des oranges, évitez de surcharger le bol à fruits puisqu'ils pourraient s'abîmer ou moisir. Les bols de fruits ne devraient pas être placés sous les rayons chauds du soleil ou dans une pièce chaude au chauffage central puisque leur contenu mûrira et se détériorera rapidement. Dans une maison chauffée, le meilleur endroit pour les fruits est un petit bol dans un endroit frais, un support dans un endroit frais et sec, ou le réfrigérateur s'il s'agit de petits fruits et de raisins.

Les fruits en conserve et séchés devraient être rangés dans une armoire, au frais et au sec. Une fois le contenant ouvert, les fruits séchés et les légumineuses devraient être transférés dans un contenant étanche à l'air.

Penser santé

Si vous rangez les légumineuses dans un pot en verre dans la cuisine, veillez à les remplacer régulièrement puisque la lumière peut modifier leur saveur et réduire leur valeur nutritive.

À vos chaudrons !

Les fruits et les légumes contiennent généralement davantage de nutriments lorsqu'ils sont crus que lorsqu'ils sont cuits. Vous avez donc tout avantage à les servir crus à vos enfants, lorsque cela est possible. Essayez aussi d'éviter de peler les fruits et les légumes puisque plusieurs nutriments se trouvent sur ou tout juste sous la pelure. Déchirez les feuilles d'épinards ou de laitue plutôt que de les couper ; vous réduirez ainsi la libération des enzymes qui peuvent détruire des nutriments telle la vitamine C.

Lavez ou frottez les légumes, mais ne les laissez pas tremper puisque les nutriments hydrosolubles telles la vitamine B et la vitamine C seront perdus dans l'eau. Coupez les légumes en gros morceaux plutôt qu'en petits : moins la surface exposée à l'air est grande, plus vous préservez les nutriments.

Préparez les fruits et les légumes juste avant de les cuisiner ou de les

Lorsque la cuisson est souhaitable

Certains nutriments sont plus facilement absorbés par l'organisme lorsque légèrement cuits. Par exemple, le lycopène, un antioxydant responsable de la couleur rouge des tomates, est beaucoup plus efficace après la cuisson des tomates en sauce ou en coulis. Il en va de même pour le bêta-carotène qui protège le cœur et les poumons. Il est beaucoup plus efficace lorsqu'exposé à la chaleur et à l'huile. Mais prenez garde de trop faire cuire les fruits et légumes ; les nutriments seraient ainsi perdus.

servir puisque le niveau de nutriments commence à diminuer dès qu'ils ont été coupés. Il est préférable de cuire à la vapeur, de faire sauter ou de cuire au four à micro-ondes que de faire bouillir. Si vous faites bouillir des légumes, utilisez une quantité minimale d'eau, puis conservez cette eau de cuisson pour préparer des bouillons pour des soupes, des fonds et des sauces. N'ajoutez jamais de bicarbonate de soude pour préserver la couleur des légumes puisque cela détruirait la vitamine C qu'ils contiennent.

Les produits en conserve ont tout simplement besoin d'être réchauffés, alors que les fruits et légumes congelés peuvent être décongelés au micro-ondes avec un peu d'eau qui contribuera à préserver les nutriments.

Comment en manger cinq

Si vous vous battez pour que vos enfants mangent leurs fruits et légumes, dites-vous bien que vous n'êtes pas seul(e) ! Même les enfants qui mangent beaucoup de fruits et de légumes sont susceptibles de traverser des périodes où ils lèvent le nez sur tout ce qui est vert, ou presque. Les adultes ne sont pas en reste, non plus. Même si ce livre est destiné aux enfants, n'oubliez pas que beaucoup d'adultes ne mangent pas suffisamment de fruits et de légumes ! Acceptez donc la mission, en famille, de viser un minimum de cinq portions par jour pour chacun. Allez-y progressivement ; le tableau à la fin du livre pourra vous aider à surveiller le progrès de votre famille et à rendre l'expérience agréable. Bien manger ne devrait pas être une corvée pénible !

Un bon début

Commencez avec l'idée de poursuivre : à partir de six mois, les bébés peuvent commencer à apprécier les purées de fruits et de légumes mélangées avec du lait maternisé ou du lait maternel, en guise de premier aliment. Les carottes, panais, avocats, bananes, poires, pommes, mangues, melons, pois, poireaux, pêches, choux-fleurs, brocolis, rutabagas, épinards, courges, citrouilles et courgettes se transforment tous magnifiquement en purées. Et n'hésitez pas à faire des expériences avec les saveurs que votre bébé semble préférer. Offrez une grande variété de fruits et de légumes en vous inspirant de ce que le reste de la famille mange normalement, puisque les études montrent que cela peut contribuer à éviter les difficultés plus tard.

À ce stade, n'oubliez pas non plus les légumineuses. Celles-ci peuvent être mises en purée ou écrasées dans des ragoûts, soupes, plats cuits au four, ou être mangées en accompagnement avec une trempette. Puisque les réserves en fer d'un bébé commencent à diminuer après six mois, servez des légumineuses avec des aliments riches en vitamine C, par exemple des jus de fruits frais dilués, des agrumes, du brocoli, des fraises, des kiwis ou des épinards, qui aideront à augmenter l'absorption du fer.

Amuse-gueule

Les bâtonnets de fruits et légumes sont populaires auprès des enfants, qui apprécient leur croquant et leur goût. Ils font également office d'excellents jouets de dentition. Lorsque les bébés font leurs dents, les amuse-gueule peuvent aider à soulager les gencives douloureuses et donner l'occasion au bébé d'utiliser ses mains, ce qui, avouons-le, est beaucoup plus agréable que de se faire nourrir. Les bâtonnets cuits vapeur de maïs miniature, de pois mange-tout, de haricots verts et de carottes

sont populaires, tout comme les morceaux de pommes, poires, bananes, melons ou papayes pelés.

Enfants d'âge préscolaire

À partir d'environ un an, les bébés commencent à souhaiter être indépendants. Les repas sont une belle occasion pour leur en donner la chance ! Les tout-petits peuvent être capricieux. Ils peuvent aimer un aliment aujourd'hui et le refuser demain. Essayez d'éviter la confrontation : encourager un enfant donne de meilleurs résultats que de le forcer à manger.

Les enfants prennent souvent des décisions irréfléchies, affirmant qu'ils n'aiment pas un plat avant même d'y avoir goûté. Je considère que le seul fait de les encourager à « goûter » à une seule bouchée sera souvent suffisant pour qu'ils changent d'avis.

Ne négligez pas l'élément plaisir

Faire participer les enfants aux courses, cultiver avec eux un jardin potager, leur demander de l'aide pour cuisiner et faire des jeux de dégustation

sont autant de moyens efficaces de les encourager à essayer de nouveaux fruits et légumes, ou encore d'autres qu'ils ont auparavant rejetés. Des études ont démontré que les enfants qui savent d'où viennent les aliments, qui peuvent identifier différents fruits et légumes, qui connaissent des façons de les utiliser ou qui les ont déjà cultivés sont plus susceptibles de les essayer et, on l'espère, de les aimer.

Selon l'âge de votre enfant, l'adoption d'un thème repas peut également vous aider. Une thématique aussi simple qu'un pique-nique intérieur si la température est triste peut ajouter une touche de plaisir à un repas. Étendez tout simplement une nappe sur le plancher, choisissez de la vaisselle colorée et préparez des amuse-gueule.

Persévérez...

Si votre enfant refuse un fruit ou un légume en particulier, oubliez-le pendant quelques semaines, puis revenez

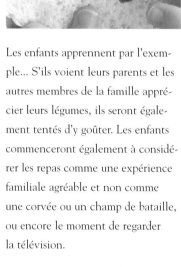

à la charge mais sous une forme différente. Le refus, très souvent, ne traduit pas une réelle aversion. Voici une technique utilisée par une connaissance qui se sentait souvent frustrée que son enfant refuse ses créations culinaires. Elle a permis à son enfant de choisir cinq fruits et légumes qu'il n'aimait vraiment pas. Et elle s'est engagée à ne pas en servir à son enfant si celui-ci s'engageait à manger tout le reste. Le truc a fonctionné principalement parce que l'enfant a ressenti un certain pouvoir et qu'il pouvait choisir ce qu'il mangeait.

Manger ensemble

Il n'est pas toujours possible pour une famille de manger ensemble autour de la table. Mais si vous réussissez à vivre des repas en famille, ne serait-ce que les week-ends, vous commencerez vite à en constater les bienfaits.

Les enfants apprennent par l'exemple... S'ils voient leurs parents et les autres membres de la famille apprécier leurs légumes, ils seront également tentés d'y goûter. Les enfants commenceront également à considérer les repas comme une expérience familiale agréable et non comme une corvée ou un champ de bataille, ou encore le moment de regarder la télévision.

Collations

Les jeunes enfants ont besoin de collations. Leurs estomacs sont relativement petits et ne peuvent absorber de gros repas. Quelques petites collations au cours de la journée les aideront à garder de l'énergie toute la journée. C'est l'occasion parfaite d'augmenter l'apport quotidien de fruits et de légumes : des bâtonnets de céleri au fromage à la crème ; un sandwich aux bananes ; une poignée d'abricots séchés ; de l'hoummos et des galettes d'avoine, par exemple.

Tout est dans l'apparence

Des présentations originales peuvent faire toute la différence dans la réussite d'un repas. Les tout-petits qui considèrent avoir mieux à faire que de s'asseoir à table et manger seront plus tentés de goûter à un repas présenté de façon amusante, ou qui représente un visage, un bateau, une maison, un animal, etc. Nous n'avons pas tous le temps de réaliser ces belles présentations et je crois qu'il est préférable d'apprendre à apprécier les « vrais » aliments,

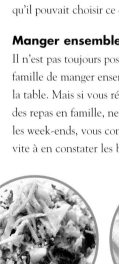

manipulateur mais le fait d'inviter chez vous un enfant dont les habitudes alimentaires sont saines peut avoir plus d'effet sur votre enfant que des années de persuasion.

Faites des expériences

Avec une telle variété de fruits et de légumes, il est peu probable que votre enfant les détestera tous. Ne lui présentez pas toujours les mêmes ; essayez un fruit ou un légume différent chaque semaine, ou proposez des présentations différentes. Cuisinez-les de différentes façons : crus, grillés, rôtis, cuits, cuits vapeur, en purée ou sautés. Ce peut être aussi simple que de couper des fruits et des légumes en formes différentes ou d'ajouter des produits frais à des aliments que les enfants ont tendance à beaucoup aimer, par exemple une pizza ou un burger. Mais si toutes les autres tentatives ont échoué, votre seule chance reste le subterfuge !

mais la stratégie peut être bien utile de temps à autre. Une façon très simple d'y arriver est d'utiliser des aliments de couleurs et de formes différentes, et de les disposer de façon attrayante. En un motif sur une assiette colorée, par exemple. Ou de garder un beau bol à fruits coloré sur la table, en laissant les enfants se servir. Mais attention de ne pas trop remplir le bol afin de préserver la fraîcheur des fruits,

et de modifier la sélection de façon régulière.

Enfants d'âge scolaire

Lorsque les enfants commencent l'école, s'ajoute la pression des pairs qui se traduit souvent par un défi supplémentaire pour les parents. Une amie de ma fille lui a annoncé qu'elle détestait les pois... Ma fille a immédiatement cessé d'en manger. Cela peut sembler légèrement

FRUITS

Une pomme par jour...

Probablement l'aliment le plus pratique, la pomme a besoin de peu de parures et existe en un nombre impressionnant de variétés, chacune détenant sa saveur spéciale. Les plus petites pommes sont plus faciles à manger pour les enfants (et elles sont souvent plus sucrées). Si votre petit lève le nez lorsque vous lui offrez une pomme, vous pouvez l'éplucher et la trancher pour la rendre plus attrayante. N'oubliez cependant pas que les pommes commencent à perdre leurs vitamines dès qu'elles sont coupées. Servez-les donc immédiatement.

Excellente source d'énergie, de phytonutriments et d'antioxydants, en particulier de vitamine C, les pommes contiennent également une fibre précieuse sous forme de pectine. Les pigments alimentaires naturels ou anthocyanes que l'on retrouve dans les pommes auraient des propriétés anticancérogènes et peuvent aussi réduire le cholestérol et prévenir les caillots sanguins. En médecine naturelle, les qualités de purification sanguine des pommes sont hautement estimées, tout comme leur capacité à favoriser la digestion et à éliminer les impuretés du foie.

UNE PORTION
1 pomme petite
à moyenne

Maximisez les nutriments

Autant que possible, choisissez-les biologiques. La plupart des pesticides utilisés pour la culture des pommes non biologiques se retrouvent dans le cœur et les pépins. Il est donc souhaitable de les retirer si vous faites cuire le fruit. Puisque les nutriments sont concentrés dans la peau et

COMMENT EN MANGER PLUS...

- *Préchauffez le gril à intensité moyenne et recouvrez la plaque de papier d'aluminium. Coupez les pommes en demies sur la longueur, retirez le cœur et disposez les moitiés sur la plaque. Déposez des tranches de cheddar ou de mozzarella sur chaque moitié, puis faites griller jusqu'à ce que la pomme ramollisse et que le fromage fonde et commencer à dorer.*
- *Ajoutez de la pomme râpée — inutile de la peler — aux garnitures pour sandwichs, aux salades de chou, aux céréales le matin et aux « burgers » maison.*

immédiatement sous celle-ci, il est préférable de ne pas peler les pommes. De plus, la pelure constitue une bonne source de fibres solubles. Les pommes continuent de mûrir une fois cueillies et sont meilleures en saison.

Les pommes achetées hors saison peuvent avoir passé des mois dans un entrepôt froid qui a altéré artificiellement le mûrissement. Lorsque les pommes quittent cet environnement, elle commencent à se détériorer rapidement et ramollissent. Recherchez les fruits qui ne sont pas endommagés et sans taches. Tâtez-les délicatement avant de les acheter pour vous assurer qu'elles sont fermes. Mais ne vous laissez pas non plus séduire par les pommes qui semblent trop parfaites : elles sont souvent de texture douteuse.

BRIOCHES CARAMEL AU BEURRE, POMMES ET CANNELLE

Ravivez l'intérêt de votre enfant pour le petit déjeuner grâce à cette recette fruitée toute simple qui fera rayonner vos petits matins.

POUR 4

- 3–4 pommes (brossées si non biologiques), coupées en moitiés et évidées
- 1 c. à thé de jus de citron
- 55 g/2 oz de beurre non salé
- 2 c. à soupe de sirop d'érable
- 4 brioches aux raisins, coupées en deux
- 2 œufs battus
- 4 c. à soupe de lait
- cannelle, à saupoudrer

1 Coupez en fines tranches chaque moitié de pomme, puis trempez-les dans le jus de citron pour les empêcher de noircir.

2 Faites fondre les trois quarts du beurre dans une poêle à frire à fond épais, puis ajoutez les tranches de pommes sur un feu d'intensité moyenne, pendant environ 2 minutes, soit jusqu'à ce qu'elles commencent à ramollir. Versez le sirop d'érable et faites cuire 1 à 2 minutes de plus, jusqu'à ce que les tranches de pommes soient tendres.

3 Transférez les pommes et la sauce dans un bol et gardez au chaud pendant que vous préparez les brioches à la cannelle.

4 Mélangez ensemble les œufs et le lait dans un bol peu profond. Essuyez la poêle à frire et faites fondre le reste de beurre. Trempez chaque moitié de brioche aux raisins dans le mélange d'œufs et placez dans une poêle chaude – vous devrez cuire les brioches en deux fournées – et cuisez-les de chaque côté jusqu'à ce qu'elles deviennent légèrement dorées. Vous devrez peut-être ajouter du beurre pour la deuxième fournée.

5 Disposez deux moitiés de brioche aux fruits dans chaque assiette. Déposez des tranches de pommes sur chaque brioche et versez une petite quantité de sirop. Saupoudrez d'un peu de cannelle avant de servir.

Dans les bananes

Si votre enfant est parfois anxieux ou qu'il a de la difficulté à dormir, essayez de lui donner une banane et un verre de lait quelques heures avant le coucher. Les bananes et le lait contiennent de la vitamine B_6 apaisante et du tryptophane, un acide aminé qui stimule la production de sérotonine neurotransmettrice qui a un effet apaisant, calmant et bénéfique sur le corps et sur l'esprit – ce qui se prend bien quand on y pense !

À l'opposé, si votre enfant a de la difficulté à prendre le petit déjeuner, une banane est si vite avalée, surtout si elle est recouverte de yogourt nature et d'une touche de sirop d'érable et de noix concassées ou de graines, pour créer une garniture croquante.

Les bananes sont remplies de nutriments bénéfiques et sont géniales pour les enfants. Leur contenu élevé en amidon ou en sucre naturel fait d'elles une bonne source d'énergie soutenue, en particulier si elles sont combinées à des protéines comme les noix ou les graines. En médecine naturelle, les bananes sont utilisées pour renforcer l'estomac.

UNE PORTION
1 petite banane

Elles sont également un laxatif efficace. Des études ont démontré également que les sucres naturels que l'on retrouve dans les bananes favorisent la croissance de bactéries bénéfiques dans l'intestin, contribuant à l'amélioration de l'absorption des nutriments. Les bananes contiennent également des quantités importantes de potassium, important pour le fonctionnement des cellules, des nerfs et des muscles, et des quantités valables de fer, de calcium, de bêta-carotène et de vitamine C.

Maximisez les nutriments

Les nutriments que l'on retrouve dans les bananes sont plus facilement absorbés lorsque le fruit est mangé mûr. La peau d'une banane mûre est jaune et uniforme. Les bananes qui ne sont pas assez mûres sont difficiles à digérer et peuvent causer des gaz douloureux. Lorsque le fruit devient brun ou noir, il est trop mûr pour être mangé cru mais peut toujours être cuit. Ne rangez pas les bananes au réfrigérateur puisque cela ferait noircir leur peau. Gardez à l'esprit que des bananes dans un bol à fruits précipiteront le mûrissement des autres fruits. Lorsque cuites, les bananes perdent beaucoup de vitamine B_6 mais leur contenu en fibres est plus facile à absorber.

CRÊPES AUX BANANES AVEC SAUCE AUX PETITS FRUITS D'ÉTÉ

Ces crêpes peuvent aussi être servies nature ou avec une purée de bleuets ou de pommes.

POUR 4

- 175 g/6 oz de farine tout usage
- 1 c. à thé de poudre à pâte
- grosse pincée de sel
- 25 g/1 oz de sucre en poudre non raffiné
- 1 œuf battu
- 200 ml/7 fl oz liq. de lait
- 1 grosse banane écrasée
- 25 g/1 oz de beurre non salé
- yogourt bio nature, pour le service

Sauce aux petits fruits d'été :
- 250 g/8 oz de petits fruits d'été congelés, décongelés
- 1 à 2 c. à soupe de sucre à glacer

1 Pour la sauce : réduisez les petits fruits en purée jusqu'à obtention d'une consistance lisse. Passez le mélange dans une passoire, puis mélangez avec le sucre à glacer.

2 Pour la pâte : tamisez la farine, la poudre à pâte et le sel dans un bol à mélanger, puis ajoutez le sucre. Battez ensemble l'œuf et le lait, et ajoutez graduellement au mélange, à l'aide d'une cuillère de bois. Laissez reposer pendant 30 minutes, puis ajoutez la banane.

1-2

3 Faites fondre la moitié du beurre dans une poêle à frire sur un feu d'intensité moyenne. Versez pour chaque crêpe trois louches de pâte dans la poêle à frire et faites cuire de chaque côté environ 2 minutes. Répétez avec le reste du mélange.

4 Servez deux crêpes par personne avec la sauce aux petits fruits et le yogourt.

COMMENT EN MANGER PLUS...

- *Atténuez le caractère épicé des caris en y ajoutant une banane tranchée.*
- *Découpez une banane sur sa longueur – mais pas complètement. Insérez quelques morceaux de chocolat dans la fente puis emballez la banane dans du papier aluminium. Faites cuire dans un four préchauffé à 200 °C/400 °F pendant 20 à 25 minutes jusqu'à ce que la peau de la banane soit noircie et le chocolat fondu. Ouvrez avec soin le papier d'aluminium et saupoudrez de noix hachées.*
- *Les bananes accompagnent bien les fraises, les pêches, les nectarines, les bleuets, les mangues, les abricots et les framboises. Ajoutez du lait de coco, du yogourt, de la crème glacée ou du lait, et saupoudrez de la muscade ou de la cannelle pour créer des boissons fouettées crémeuses.*

Vive les agrumes

Nous avons souvent tendance à ne pas choisir les oranges parce que les enfants ont de la difficulté à les peler. Par contre, les mandarines et leurs hybrides, les oranges de Tanger, les mandarines Satsuma et les clémentines, remportent la partie haut la main ! Partie intégrante de la catégorie des fruits « faciles à peler », ils constituent un ajout pratique et sain aux boîtes à lunch et aux pique-niques. Les clémentines sont les agrumes de choix chez moi, puisque leurs quartiers sont généralement sucrés et qu'elles contiennent rarement des pépins. Les mandarines Satsuma sont parfois décevantes, leur texture pâteuse et sans goût. Les mandarines sont souvent vendues en conserve et sont idéales pour décorer les gâteaux au fromage, les bagatelles ou les sundaes, ou encore les gelées de fruits.

Les oranges navel sont très populaires puisqu'elles ne contiennent pas de pépins et qu'elles sont faciles à trancher. Recherchez également les oranges Jaffa et les valences, qui sont sucrées et parfaites pour faire du jus. Les oranges et les clémentines peuvent être utilisées de mêmes façons et sont très polyvalentes. Leur jus donne du goût aux marinades ou lorsqu'il est utilisé pour glacer légumes, poissons et viandes.

Les agrumes sont particulièrement riches en vitamine C et en bêta-carotène, qui stimulent le système immunitaire. On ne peut pas affirmer hors de tout doute que la vitamine C prévient le rhume, mais les chercheurs s'entendent pour dire qu'elle en diminue la gravité et la durée.

Elle augmente également notre capacité d'absorption du fer provenant des aliments, ce qui est tout particulièrement important puisque les carences en fer font partie des problèmes nutritionnels les plus courants chez les enfants. En plus de l'abondance de vitamine C et de vitamines B, de thiamine et d'acide folique, les agrumes fournissent des phytonutriments, composés végétaux qui contribuent à combattre plusieurs problèmes de santé, y compris les allergies, l'asthme et le cancer. Les agrumes contiennent également de la pectine, un type de fibre soluble qui contribuerait à réduire les niveaux de cholestérol.

UNE PORTION
1 à 2 clémentines, oranges de Tanger ou oranges Satsuma

Maximisez les nutriments

Les agrumes commencent à perdre de leur contenu en vitamine C dès qu'ils sont coupés. La vitamine C est également réduite par la chaleur et est hydro-soluble. Il est donc important de manger les agrumes dès qu'ils sont pelés pour garder autant de nutriments que possible. Les jus fraîchement pressé conservent la plupart de la vitamine C. Il est d'ailleurs préférable de les presser à la maison plutôt que de les acheter déjà pressés, et de les boire dès qu'ils sont pressés. Les jus de fruits faits à partir de concentré traversent une étape de production supplémentaire qui réduit leur contenu en nutriments. Il est donc préférable de les éviter.

Choisissez des fruits lourds pour leur tailles : ceux dont la pelure est fine ont tendance à être plus juteux.

PLAIRE AUX ENFANTS
Très polyvalentes, les oranges et les oranges de Tanger permettent de créer de savoureuses boissons et d'ajouter du zeste aux biscuits et aux gâteaux. Trempez des quartiers dans du chocolat fondu pour créer une douce gâterie !

Il est plus facile de s'assurer de la qualité, et bien souvent on paye moins cher, pour des fruits en vrac que préemballés. Les oranges ont tendance à bien se conserver ; davantage que les oranges de Tanger et les autres fruits « faciles à peler ». Lorsque vous avez besoin de zeste d'orange pour une recette, utilisez des fruits qui n'ont pas été cirés. Sinon, brossez-les bien pour les débarrasser de cette cire qui sert d'agent de conservation. Cela éliminera également tout fongicide utilisé.

COMMENT EN MANGER PLUS...

- *Mélangez du jus d'orange à de la sauce soja, du miel, du gingembre et de l'ail, et utilisez ce mélange comme marinade pour le poulet, le saumon, la viande ou le tofu.*
- *Des quartiers pelés d'orange et d'orange de Tanger sont parfaits dans les salades contenant du cresson ou de la romaine, des betteraves et des noix concassées.*
- *Faites fondre du beurre avec du jus d'orange dans un poêlon et utilisez ce mélange pour glacer des carottes légèrement cuites à la vapeur, du chou, des choux de Bruxelles ou des navets miniatures.*
- *Ajoutez du jus d'orange à une sauce tomate pour donner une saveur nouvelle ou utilisez du jus d'orange pour mouiller un sauté ou une salade de fruits frais.*
- *Versez du jus de citron et du miel dans de l'eau chaude pour créer une boisson réconfortante.*
- *Combinez jus d'orange et jus de citron avec de l'eau minérale ou du soda pour créer en un clin d'œil une alternative santé et délicieuse aux boissons gazeuses. Pressez un jus d'orange, de carotte et de pomme pour commencer la journée du bon pied.*

GELÉE D'AGRUMES SURPRISE

Les enfants adorent ces coquilles d'orange remplies de sorbet à l'orange et de gelée au citron. Les oranges sont un peu plus longues à vider mais l'effort n'est pas perdu. Pour plus de simplicité, j'utilise une combinaison de jus de fruits frais et des cristaux de gelée au citron pour la garniture. Vous pouvez acheter des cristaux pour gelée dans les magasins d'aliments naturels et certaines épiceries. Si vous préférez, vous pouvez utiliser des oranges de Tanger plutôt que des oranges, mais tranchez la portion supérieure au lieu de couper le fruit en deux.

POUR 4

- 4 oranges, coupées en deux
- 1 paquet de cristaux pour gelée au citron

1 Pressez le jus des moitiés d'oranges sans briser ou écraser la pelure – un presse-agrumes vous sera bien utile. Avec une cuillère parisienne ou une cuillère à thé, grattez la moelle des moitiés d'orange pour créer 8 coquilles complètement vides. Filtrez le jus dans une chope – puis buvez-en la moitié !

2 Ajoutez les cristaux de gelée dans la chope contenant le jus d'orange et recouvrez d'eau bouillante pour obtenir 568 ml/1 chopine. Brassez jusqu'à ce que les cristaux soient dissous.

3 Placez les coquilles d'orange dans une plaque de cuisson. Remplissez chaque coquille de gelée liquide et réfrigérez jusqu'à l'obtention de la gelée.

4 Au moment de servir, placez deux moitiés l'une au-dessus de l'autre pour cacher la gelée à l'intérieur - vous pourriez même entourer l'orange ainsi refermée d'un ruban pour créer une ambiance de fête instantanée !

MOUSSE ORANGE-CHOCOLAT

Cette mousse est riche. Ce n'est donc pas un dessert de tous les jours. Mais c'est un régal bien spécial. Ce dessert contient des œufs crus.

POUR 4

- 200 g/7 oz de chocolat nature de bonne qualité, brisé en petits morceaux
- jus de 2 oranges
- 4 œufs, blancs et jaunes séparés
- 4 clémentines ou oranges Satsuma, pelées et en quartiers

1 Faites fondre le chocolat dans un bol isolant placé sur un poêlon rempli d'eau mijotante. Veillez à ce que le dessous du bol ne touche pas l'eau. Mélangez jusqu'à ce que le chocolat soit fondu.

2 Laissez refroidir le chocolat, puis mélangez le jus d'orange et les jaunes d'œufs.

SORBET À L'ORANGE ET À LA MANGUE

3 Battez les blancs d'œufs dans un grand bol jusqu'à l'obtention de pointes fermes. À l'aide d'une cuillère en métal, incorporez doucement les blancs d'œufs dans le mélange de chocolat, une cuillère à la fois.

4 Déposez la mousse dans des bols ou des ramequins avec une cuillère et réfrigérez jusqu'à obtention d'une mousse. Décorez avec des quartiers de clémentines ou d'oranges Satsuma.

Très fruité et facile à réaliser, ce sorbet coloré deviendra le préféré des enfants. La combinaison de jus d'orange et de mangue est rafraîchissante, mais aussi une excellente source de vitamine C et de bêta-carotène.

POUR 4

- 2 mangues
- 300 ml/½ chopine de jus d'orange frais
- 3 c. à soupe de sucre à glacer

1 Coupez les mangues d'un côté ou l'autre du gros noyau central et retirez la chair autour du noyau. Détachez la chair des tranches de mangue et passez au mélangeur ou au robot culinaire. Ajoutez le jus d'orange et le sucre dans le mélangeur ou le robot culinaire et mélangez jusqu'à obtention d'une purée lisse.

2 Versez le mélange dans un contenant allant au congélateur et laissez pendant 2 heures. Retirez du congélateur et battez avec un fouet ou une fourchette pour brisez les cristaux de glace. Lissez le dessus avec le dos d'une cuillère et remettez au congélateur. Répétez après 2 heures, puis laissez congeler jusqu'à fermeté.

3 Retirez du congélateur 45 minutes avant de servir pour laisser la glace ramollir.

Abricots appétissants

Leur couleur orange dorée indique que les abricots constituent une excellente source de cet antioxydant qu'est le bêta-carotène. En fait, plus le fruit est pâle et juteux, plus il contient du bêta-carotène. Le bêta-carotène contribue à prévenir les maladies dégénératives, y compris le cancer. On croit également qu'il combat les dommages causés par les radicaux libres et qu'il contribue à renforcer le système immunitaire.

L'abricot est un des quelques fruits que j'achète en conserve. Il n'y a évidemment rien de plus savoureux qu'un abricot frais et juteux, mais ils sont difficiles à trouver à leur meilleur. Lorsqu'ils ne sont pas mûrs, les abricots sont durs et insipides. Et malheureusement, ils ne continuent pas à mûrir après la cueillette. Les abricots en conserve dans le sirop contiennent davantage de sucre. Il est donc préférable de les choisir dans leur jus naturel, c'est également une bonne source de vitamine C.

Les abricots séchés (voir pages 62) constituent une autre bonne option et surtout une bonne source de fer.

UNE PORTION
1 à 2 abricots frais, selon l'âge de l'enfant

Maximisez les nutriments

Lorsque vous achetez des abricots frais, essayez de les choisir mûrs et mangez-les dans les quelques jours qui suivent l'achat puisqu'ils ne se conservent pas bien. Essayez d'éviter les fruits qui ne sont vraiment pas mûrs puisqu'ils n'atteindront pas leur maturité (mais n'abandonnez pas, les fruits mal en point peuvent être cuits à l'étuvée, pochés ou utilisés dans des gâteaux et des tartes). Les abricots sont délicats et se gâtent facilement. Faites donc attention lorsque vous les achetez et les rangez. Recherchez les fruits non endommagés et rangez-les à la température ambiante ou dans un sac de polyéthylène au réfrigérateur.

Des études ont démontré que même si les abricots cuits contiennent moins de vitamine C, les nutriments tels le bêta-carotène et les lycopènes sont plus faciles à absorber par le corps que lorsque le fruit est mangé cru.

COMMENT EN MANGER PLUS...

- *Ajoutez des abricots en morceaux aux riz pilaf, aux couscous, aux caris et aux ragoûts de haricots ou de légumes.*
- *Essayez la sauce aux abricots avec le porc et les autres viandes. Déposez dans un poêlon 5 abricots avec un peu d'eau, 1 clou de girofle et un bâton de cannelle. Faites cuire pendant environ 8 minutes, retirez les épices et réduisez en purée ou écrasez à la fourchette. Ajoutez un peu de sucre pour le goût.*
- *Agrémentez un gruau avec une grande cuillère de purée d'abricot (ci-dessus) ou versez sur du yogourt ou du fromage frais. Ajoutez des noix et des flocons d'avoine grillés, et voilà un petit déjeuner nutritif !*

BRIOCHE AUX ABRICOTS, PUDDING AU BEURRE

La brioche ajoute richesse à ce pudding au pain et au beurre. Ce qui ne vous empêche pas d'utiliser du panettone, du pain aux fruits, des brioches du carême ou du bon vieux pain tranché ou de blé entier. J'ai utilisé des abricots en conserve dans leur jus naturel lorsque j'ai fait l'essai de cette recette puisque je ne trouvais pas d'abricots frais. Ne vous en faites pas, dans ce cas, les abricots en conserve ne sont pas un compromis. Vous pouvez aussi utiliser des abricots séchés. Pour augmenter la teneur en fruits, vous pouvez également ajouter une poignée de raisins ou de dattes séchées en morceaux.

POUR 6

- beurre pour tartiner
- 280 g/10 oz de brioches, coupées en 10 tranches, puis en triangles
- 20 abricots en conserve dans leur jus, le jus enlevé et coupés en gros morceaux
- 2 jaunes d'œufs
- 4 c. à soupe de sirop d'érable
- 1 c. à thé d'essence de vanille
- 500 ml/18 oz liq. de lait
- muscade râpée, au goût
- sucre à la démérara, facultatif

1 Préchauffez le four à 180 °C/ 350 °F. Beurrez un plat allant au four de 22 x 30 cm, puis beurrez légèrement un côté de chaque triangle de brioche.

2 Disposez la moitié des brioches dans le plat, recouvrez d'abricots, puis terminez avec l'autre moitié des brioches.

3 Mélangez ensemble les jaunes d'œufs, le sirop d'érable et l'essence de vanille. Réchauffez le lait, puis incorporez dans le mélange à base d'œufs. Ajoutez la muscade râpée au goût.

4 Versez le mélange à base d'œufs sur les brioches, puis écrasez légèrement. Saupoudrez de sucre à la démérara si vous avez choisi d'en utilisez, puis cuisez pendant 25 minutes, soit jusqu'à ce que le tout soit gonflé et doré.

Poire, quand tu nous tiens...

Pour bien des enfants, les poires ont été le premier aliment « réel ». Elles évoquent donc de beaux souvenirs. Les poires comptent parmi les aliments les moins allergènes. C'est probablement pour cette raison qu'elles servent d'aliment de sevrage et qu'elles sont tolérées par les personnes suivant un régime d'exclusion ou par les enfants susceptibles de développer des allergies alimentaires. Les poires contiennent beaucoup de sucres naturels. Elles constituent donc une source pratique d'énergie. La vitamine C et le potassium y sont également présents en quantités intéressantes.

La plupart des poires peuvent être mangées crues ou cuites. Mais si vous choisissez de les cuire, elles doivent d'abord être pelées. Les poires Rocha ou Anjou (conférence en Europe), la poire Comice à chair vert-jaune, et la poire Bartlett (nommée poire Williams en Europe) avec sa peau fine, jaune et sucrée, sa chair tendre sont les préférées de bien des enfants. Les poires séchées sont une collation pratique mais aussi une bonne source de fer. N'oubliez pas que le contenu en sucre est concentré pendant le processus de déshydratation et que les poires séchées sont donc très sucrées.

UNE PORTION
1 poire petite
à moyenne

Comme les autres fruits de verger, les poires sont idéales avec les plats sucrés et savoureux, sous forme de sauce de fruits pour accompagner la viande, en morceaux dans de croustillantes salades d'hiver ou cuites dans les compotes, les tartes et les croquants. Elles peuvent être grillées, sautées ou pochées. Lorsque vous cuisez les poires, utilisez des fruits qui ne sont pas mûrs puisqu'ils risquent de se désintégrer s'ils le sont trop. En fait, les poires trop mûres ne sont pas agréables à manger puisqu'elles deviennent pâteuses et mollasses.

Maximisez les nutriments

Si vous comptez manger vos poires dans la journée qui suit leur achat, ou dans les 2-3 jours qui suivent, choisissez des fruits entièrement mûrs et gardez-les au réfrigérateur. Les poires deviendront vite trop mûres et perdront leurs nutriments si vous les gardez plus longtemps. J'ai tendance à acheter des poires qui ne sont pas tout à fait mûres (ou idéalement un mélange de poires mûres et pas tout à fait mûres) pour qu'elles tiennent le coup quelques jours dans le bol à fruits. Pour déterminer si une poire est mûre, tâtez la portion autour de la tige ; votre doigt devrait légèrement s'enfoncer dans la chair mais la poire demeurer ferme.

Les poires mûres crues sont plus riches en vitamine C que les poires cuites, même si le contenu en fibres est inférieur quand elles sont pelées. Les poires se décolorent rapidement lorsqu'elles sont pelées ; ajoutez donc un peu de jus de citron sur la surface coupée.

DESSERT CROQUANT AUX POIRES ET AUX PRUNES

Réconfortants et chauds, les desserts croquants sont parfaits pour passer les fruits qui ne sont pas attrayants ou pas tout à fait mûrs.

POUR 4

- 4 poires pas tout à fait mûres, pelées, évidées et coupées en gros morceaux
- 6 prunes, dénoyautées et coupées en gros morceaux
- 1 c. à thé de jus de citron
- 4 c.s à soupe de jus de pomme frais
- ¼ c. à thé d'épices mélangées
- 1 c. à soupe de cassonade

Pour la garniture :
- 115 g/40 oz de beurre non salé
- 175 g/6 oz de farine tout usage
- 3 c. à soupe de graines de tournesol
- 85 g/3 oz de cassonade

1 Préchauffez le four à 180 °C/ 350 °F. Mélangez ensemble les poires, les prunes, le jus de citron, le jus de pomme, les épices mélangées et le sucre dans un plat de 25 cm/10 po allant au four.

2 Pour faire la garniture, servez-vous de vos doigts pour mélanger le beurre avec la farine, jusqu'à ce que la texture ressemble à des grosses miettes de pain. Mélangez bien les graines et le sucre.

3 Déposez la garniture sur les fruits à l'aide d'une cuillère et faites cuire au four pendant environ 30 minutes, jusqu'à ce que le dessus soit bien doré et croquant. Laissez refroidir légèrement avant de servir.

COMMENT EN MANGER PLUS...

- *Les poires sont un ajout brillant aux salades et s'harmonisent bien avec la roquette, le cresson, le chou haché fin, le céleri, le fromage et les noix.*
- *Coupez une poire mûre en deux et évidez-la. Remplissez la cavité avec du fromage à la crème.*
- *Les poires cuites sont jolies et faciles à préparer. Pelez, coupez en deux et évidez une poire pas tout à fait mûre. Appliquez du jus de citron au pinceau sur chaque moitié de poire et déposez dans une assiette allant au four. Versez du jus d'orange dans l'assiette et laissez tomber quelques gouttes de miel. Faites cuire dans un four préchauffé à 180 °C/350 °F pendant 20 à 30 minutes jusqu'à ce que les poires ramollissent et deviennent collantes ; n'oubliez pas de reverser du jus sur les poires de temps à autre.*
- *Vous pouvez aussi peler et évider une poire et remplir la cavité avec un mélange de fruits séchés et de noix hachées. Placez la poire complète dans une assiette allant au four avec un peu d'eau et de miel, puis cuisez comme précisé ci-dessus.*

La fête des fraises

Il n'y a rien de plus joli qu'une belle fraise mûre et juteuse. Autrefois symbole estival, les fraises sont maintenant disponibles à l'année. Par contre, elles sont meilleures et plus nutritives en saison.

Excellente source de vitamine C, les fraises contribuent à renforcer le système immunitaire et à protéger le tissu conjonctif. Des études ont aussi démontré qu'elles contiennent plusieurs pigments végétaux puissants nommés anthocyanes. Ces antioxydants protègent contre les toxines et les radicaux libres nocifs du corps. Ils protègent également les précieuses cellules cérébrales. Les fraises contiennent aussi de l'acide ellagique, qui joue un rôle important dans le combat contre le cancer et la prévention de celui-ci.

Maximisez les nutriments

Les enfants sont plus vulnérables aux effets des pesticides et des antibiotiques que les adultes. Il est donc judicieux de choisir des fraises biologiques chaque fois que cela est possible. Choisissez toujours des fraises mûres et évitez celles qui ont des pointes blanches ou jaunes : cela signifie qu'elles ne sont pas assez mûres. À l'opposé, évitez les fruits écrasés et meurtris puisqu'ils ne sont plus à leur meilleur et qu'ils ont perdu beaucoup de nutriments bénéfiques. Vous pouvez les conserver au réfrigérateur jusqu'à trois jours. Elles peuvent aussi être congelées.

La cuisson ne semble pas détruire l'acide ellagique des fraises mais fera diminuer les niveaux de folates et de vitamine C.

PLAIRE AUX ENFANTS
La plupart des enfants aiment les fraises et les mangent nature. Mais si votre enfant n'apprécie pas les pépins, vous pouvez les servir en pudding.

PUDDING DAME DE CŒUR

UNE PORTION
Une poignée ou 5 fraises en fonction de l'âge de l'enfant

Vous pouvez passer les fraises au tamis pour éliminer les pépins. Par contre, si votre enfant n'éprouve aucun problème avec les pépins, laissez-les entières. Utilisez un emporte-pièce pour couper le pain en forme de cœur.

POUR 4

- 450 g/1 lb de fraises, de framboises et de mûres ; les plus gros fruits coupés en tranches
- 4 à 5 c. à soupe de sucre à glacer
- 6 c. à soupe d'eau
- 8 tranches de pain blanc d'un jour, sans les croûtes

1 Déposez les fruits dans un poêlon avec du sucre et de l'eau. Amenez à ébullition, puis réduisez le feu pendant 5 minutes ou jusqu'à ce que les fruits soient mous et juteux. Réservez quelques fruits entiers, puis passez les autres au tamis en extrayant autant de jus que possible.

2 Avec un emporte-pièce, coupez les tranches de pain en forme de coeur.

3 Placez la moitié des formes de pain dans une assiette peu profonde et versez la moitié du jus de fruits. Recouvrez avec les autres morceaux de pain et versez le reste du jus. Écrasez légèrement pour que le jus pénètre dans le pain et attendez environ 30 minutes. Décorez avec les fruits que vous avez réservés, puis servez.

COMMENT EN MANGER PLUS...

- *Saupoudrez une poignée de fraises équeutées et tranchées sur des céréales. Leur vitamine C favorisera l'absorption du fer contenu dans les céréales.*
- *Préparez une sauce aux fraises à utiliser chaude ou froide sur de la crème glacée ou des crêpes. Passez une poignée de fraises au mélangeur. Ajoutez un peu de sucre à glacer au goût. Passez au tamis pour éliminer les pépins.*
- *Préparez une boisson fouettée aux fruits composée d'une poignée de fraises, de yogourt et d'une cuillère à thé de miel si vous devez ajouter du sucre. (Pour tripler les portions, ajoutez une orange et une banane.)*
- *Fouettez un peu de yogourt glacé. Suivez les instructions ci-dessus pour créer une boisson fouettée mais quadruplez la quantité de fruits et de yogourt, puis congelez. Mélangez 3 à 4 fois pendant la congélation pour obtenir une texture crémeuse et lisse.*

Baies généreuses

Ces merveilles de la nature contiennent une abondance de nutriments, en particulier de la vitamine C, reconnue pour renforcer le système immunitaire et améliorer l'état de la peau, des os et des dents.

Les bleuets sont probablement les seules baies qui sont suffisamment sucrées pour ne jamais avoir besoin de sucre. Une poignée de bleuets nature constitue une collation très nutritive. Des études indiquent que les bleuets contribuent à améliorer la mémoire, qu'ils peuvent améliorer les habiletés motrices et qu'ils jouent un rôle essentiel dans la prévention du cancer et des maladies cardiaques. Leurs propriétés antibactériennes peuvent aussi contribuer à apaiser les estomacs dérangés.

Tout comme les bleuets, les framboises et les mûres sont de bonnes sources de vitamine C et de folates, ainsi que d'acide ellagique et de quercétine, des antioxydants qui sont aussi considérés comme anticancérigènes. On dit qu'ils contribuent aussi à prévenir les boutons de fièvre, la fièvre des foins et l'asthme, tous très courants chez les enfants.

En médecine naturelle, les framboises sont utilisées pour nettoyer et apaiser le système, et agissent comme remède rafraîchissant contre la fièvre.

UNE PORTION
Une poignée de baies

Maximisez les nutriments

Vous pouvez acheter la plupart des baies à l'année. Elles sont cependant meilleures en saison, soit pendant l'été et au début de l'automne. Les baies se congèlent bien.

PLAIRE AUX ENFANTS
Les bleuets sont naturellement sucrés et ont des graines molles ; deux avantages lorsqu'on pense aux enfants.

On dit d'ailleurs que les baies congelées sont aussi bonnes pour la santé que lorsqu'elles sont fraîches. En fait, elles retiennent peut-être même plus longtemps les nutriments. La cuisson ne semble pas détruire l'acide ellagique anticancérigène que l'on retrouve dans les baies, mais elle diminue les niveaux de folates et de vitamine C.

Lorsqu'elles sont mises en conserve, les baies perdent plusieurs avantages nutritionnels et contiennent beaucoup de sucre dans le sirop.

Baies prospères

CHAUSSONS AUX POMMES, AUX BAIES ET À LA CRÈME ANGLAISE

Les bleuets et les mûres (ou un mélange de baies) sont délicieux dans ces pâtisseries. Les chaussons s'ajoutent bien à la boîte à lunch.

1-2

DONNE ENVIRON 8 À 10 PORTIONS

- 2 pommes non pelées, évidées et coupées en petits dés
- 150 g/5½ oz de mûres ou de bleuets
- ½ c. à thé de jus de citron
- 1 c. à soupe de sucre à glacer non raffiné, et un peu plus pour saupoudrer
- 500 g/1 lb 2 oz de pâte feuilletée
- farine, pour enfariner
- 1 œuf battu
- 10 c. à thé de crème anglaise du commerce

1 Préchauffez le four à 200 °C/ 400 °F. Mélangez ensemble les pommes, les baies et le jus de citron dans un bol. Ajoutez le sucre.

2 Roulez la pâte sur une surface légèrement enfarinée jusqu'à ce qu'elle ait une épaisseur d'environ 2 mm/¹⁄₁₆ po. Coupez 8 cercles de 15 cm/6 po. Mouillez le rebord de chaque cercle avec un peu d'œuf battu.

3 Versez deux cuillères à soupe de fruits au centre de chaque cercle et recouvrez avec une cuillère à thé de crème anglaise.

4 Repliez la pâte par-dessus la garniture pour créer une demi-lune. Pincez ensemble le rebord pour sceller. Placez les chaussons sur une plaque de cuisson légèrement graissée et appliquez au pinceau du jaune d'œuf sur les chaussons. Piquez chacun avec une fourchette et saupoudrez un peu de sucre. Faites cuire pendant environ 20 minutes jusqu'à ce qu'ils gonflent et deviennent dorés.

COMMENT EN MANGER PLUS...

- *Préparez votre propre yogourt aux fruits : réduisez une poignée de baies en purée, passez au tamis pour éliminer les pépins, puis ajoutez à un yogourt bio nature. Ajoutez un peu de miel pour sucrer et des flocons d'avoine grillée, des graines ou des noix hachées.*
- *Réduisez les baies en purée, sucrez avec du sucre à glacer, puis ajoutez à de l'eau minérale pour créer une délicieuse boisson fruitée.*
- *Les baies permettent de réaliser de très succulentes boissons fouettées. Elles se mélangent bien avec les bananes, les pêches, les mangues, les nectarines et les cerises. Ajoutez du yogourt bio naturel et une poignée de muesli ou de céréales croquantes pour créer une petit déjeuner savoureux hors du commun.*
- *Pour créer un classique estival, fouettez légèrement un petit contenant de crème à fouetter et ajoutez une goutte d'extrait de vanille et du sucre à glacer pour sucrer au goût. Ajoutez ensuite de la meringue émitettée et une poignée de framboises.*

Cueillette de cerises

Un bol de cerises rouge rubis est si attrayant qu'il est difficile pour quiconque d'y résister. Les cerises revêtent différentes couleur, du jaune doré au rouge foncé presque noir. Leur sucrosité varie également, passant d'acide (convenant à la cuisson) à sucré (parfaites pour être mangées crues), avec quelques variétés qui appartiennent aux deux camps. Les cerises sucrées ne sont pas idéales lorsqu'elles sont cuites puisqu'elles ont tendance à perdre leur saveur. Si vous choisissez de préparer une compote ou une tarte, optez donc pour une variété plus acide telle la Montmorency.

Les cerises sucrées crues sont une bonne source de vitamine C et de potassium, essentiel à un équilibre hydrique et à une pression artérielle normaux. Les cerises contiennent également plusieurs phytonutriments, reconnus pour leurs propriétés santé (voir page 8). Il existe aussi certaines preuves selon lesquelles le jus de cerise pourrait réduire l'incidence des caries et contribuer à réduire les douleurs causées par l'inflammation et les maux de tête. La rutine est également présente en quantités significatives dans les cerises, ce qui pourrait augmenter l'efficacité de la vitamine C et maintenir des veines et des capillaires en santé. Du côté des médecines naturelles, on considère que les cerises stimulent et nettoient l'ensemble du corps, en particulier en éliminant les toxines des reins.

UNE PORTION
Une poignée
de cerises

Maximisez les nutriments

Lorsque vous choisissez des cerises, prenez-les mûres, brillantes, avec la peau lustrée (sans imperfections) et une tige verte ; c'est un signe de fraîcheur et de présence optimale des nutriments. Même si les cerises sont maintenant disponibles à l'année, comme c'est le cas de la plupart des fruits, elles tendent à être meilleures en saison. Celles qui sont offertes hors saison risquent d'avoir traversé la planète pour atteindre leur destination. Les cerises congelées constituent une excellente solution de rechange aux fraîches et préservent la majorité de leur contenu en vitamine C.

Une grande quantité de vitamine C contenue dans les cerises est perdue lors de la cuisson. Il est donc préférable de ne pas les faire cuire. Rangez-les au réfrigérateur, vous éviterez ainsi la détérioration de la vitamine C. Nettoyez-les juste avant de les servir.

Des études démontrent que certaines substances qui se retrouvent dans les cerises peuvent réduire le niveau des composés cancérogènes qui se forment dans la viande et le poisson lorsqu'ils sont cuits.

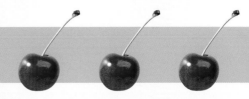

COUPE GLACÉE AU CHOCOLAT ET AUX CERISES

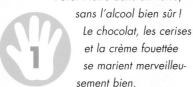

C'est ni plus ni moins qu'un gâteau Forêt Noire dans un verre, sans l'alcool bien sûr ! Le chocolat, les cerises et la crème fouettée se marient merveilleusement bien.

POUR 4

- 400 g/14 oz (boîte) de cerises dans le sirop
- 280 g/10 oz de cerises mûres avec leur tige
- 200 ml/7 oz liq. double-crème ou de crème fouettée
- 4 muffins au chocolat, coupés en deux

1 Déposez les cerises en conserve dans un bol, en réservant 4 c. à soupe du sirop. Réduisez en purée jusqu'à obtention d'une consistance lisse, puis ajoutez le sirop réservé.

2 Retirez les tiges, coupez les cerises en deux, puis dénoyautez-les.

Réservez-en quatre avec leur tige. Vous pouvez couper les cerises fraîches en plus petits morceaux si vous le souhaitez. Fouettez la crème jusqu'à formation de pics souples.

3 Prenez quatre grands verres à coupes glacées et déposez un demi-muffin au chocolat dans

chacun. Déposez la purée de cerises à l'aide d'une cuillère et répartissez les demi-cerises entre les quatre coupes. Recouvrez de crème fouettée. Répétez les couches jusqu'à ce que le verre soit plein ; terminez avec la crème.

4 Décorez chaque sundae avec une cerise fraîche entière.

COMMENT EN MANGER PLUS...

- *Le clafoutis est un dessert traditionnel français qui est fait avec une base de flan sucré contenant des cerises. On le fait cuire dans un plat allant au four jusqu'à ce qu'il gonfle et soit doré. Vous pouvez aussi le cuisiner avec des fraises, des poires ou des pommes.*
- *Trempez des cerises dans du chocolat fondu pour créer une gâterie sucrée. Les cerises seront beaucoup plus faciles à faire tremper avec leur tige.*
- *Pour les enfants qui n'aiment pas les raisins, les cerises séchées sont une possibilité intéressante. Utilisez-les dans les gâteaux, les scones, les biscuits et les muffins.*
- *Les cerises sont délicieuses pochées pour créer une compote ou une gelée de fruits.*
- *Combinez des cerises dénoyautées avec du jus de pêche et une banane dans le mélangeur ; vous obtiendrez une délicieuse boisson fruitée. Les cerises sont également succulentes avec des mûres, des bleuets, des fraises ou des mangues.*
- *Ajoutez une poignée de cerises dénoyautées sur les céréales du petit déjeuner.*

Ananas parfait

C'est probablement l'extraordinaire apparence de l'ananas frais qui le rend si attrayant auprès des enfants. Sa saveur parfumée se prête bien aux plats sucrés et aromatiques. Traditionnellement servi avec du jambon et du fromage, l'ananas se marie également bien avec le poisson et la volaille, et est souvent utilisé dans la cuisine chinoise pour apprêter des plats aigres-doux. Les enfants semblent aimer la combinaison de saveurs aigres-douces. On peut donc facilement l'apprêter avec des légumes, par exemple des carottes, du maïs sucré, du chou, des haricots verts, des poivrons doux, des champignons et des aubergines.

Riche en vitamine C, l'ananas frais soulage la constipation, le catarrhe, l'arthrite et les infections urinaires, ainsi que les estomacs dérangés. Il contient également une enzyme appelée broméline qui agit à titre anti-inflammatoire. En ce qui concerne sa valeur nutritive et sa saveur, l'ananas frais est préférable à l'ananas en conserve, même si ce dernier est toujours pratique en réserve dans l'armoire.

UNE PORTION
Une tranche petite
à moyenne

Maximisez les nutriments

Lorsque vous achetez un ananas, choisissez celui dont l'odeur sucrée est forte et dont les feuilles sont vertes. Afin de déterminer si un ananas est mûr, vous n'avez qu'à tirer une de ses feuilles par la base ; si elle se détache facilement, c'est que le fruit est mûr. Les ananas ne deviennent pas plus sucrés après la cueillette. Il est donc inutile d'acheter un fruit qui n'est pas mûr et d'attendre qu'il mûrisse. Vous serez déçu par sa saveur. L'ananas frais est légèrement plus riche en vitamine C que l'ananas en conserve. Par contre, le processus de mise en conserve détruit la broméline. La cuisson réduit la teneur en vitamine C mais rend les fibres solubles plus faciles à absorber.

COMMENT EN MANGER PLUS...

- *Enroulez une tranche de bacon autour d'une longue tranche d'ananas frais, puis grillez jusqu'à ce que le bacon soit croustillant.*
- *Utilisez du jus d'ananas au lieu du vinaigre pour créer une succulente vinaigrette à salade ou une base de marinade.*
- *Pour créer un granité rafraîchissant, passez 300 g/10½ oz d'ananas sans le cœur dans un robot culinaire. Ajoutez 1 c. à thé de gingembre frais râpé. Mettez au congélateur pendant environ 2 ½ heures. Mélangez pour briser les cristaux de glace et servez. Ajoutez des morceaux de mangue pour augmenter le contenu en fruits !*

RIZ AUX ŒUFS AIGRE-DOUX

*Même si je ne suis pas amateur de
sauces aigre-douces trop sucrées,
cette recette adopte avec succès
le principe de la combinaison d'un
aliment sucré et d'un aliment salé.
Vous pouvez ajouter trois œufs
battus à des légumes sautés avant
de les ajouter à un riz pour créer
un riz frit aux œufs, mais je préfère
faire une omelette et la servir
sur des bandes de riz.*

POUR 4

- 1 c. à soupe d'huile
  de tournesol
- 1 gros oignon, grossièrement
  coupé
- 2 gousses d'ail finement hachées
- 1 à 2 c. à thé de gingembre
  frais râpé
- 2 bok-choi, très finement hachés
- 85 g/3 oz de pois congelés
- 85 g/3 oz d'ananas frais en dés
  avec 4 c. à soupe de jus, ou
  d'ananas en conserve dans
  leur jus naturel
- 550 g/1 lb 4 oz de riz brun cuit
  qu'on a laissé refroidir
- 2 c. à thé de sauce soja foncée

- 2 c. à thé
  de beurre
- 6 œufs battus

1 Chauffez l'huile dans un grand
wok ou dans une poêle à frire à
fond épais. Faites sauter l'oignon
pendant 5 minutes jusqu'à ce
qu'il soit tendre, puis ajoutez l'ail,
le gingembre, les bok-choi et les
pois, puis faites sauter pendant
3 minutes de plus.

2 Ajoutez le jus d'ananas et mélangez avec le riz et la sauce soja.
Mélangez le riz jusqu'à ce qu'il

soit réchauffé et gardez au chaud
pendant que vous faites cuire
les omelettes.

3 Faites chauffer la moitié du beurre dans une poêle à frire et ajoutez la moitié des œufs. Étendez
sur le fond de la poêle jusqu'à
ce que le fond soit complètement
recouvert. Cuisez jusqu'à ce que
les œufs soient cuits, puis renver-
sez sur une assiette et coupez en
languettes. Répétez avec l'autre
moitié des œufs.

4 Servez le riz à l'ananas recouvert
de languettes d'omelette.

Des nouvelles à propos des raisins !

Guérisseurs naturels, les raisins nous sont traditionnellement offerts lorsque nous n'allons pas bien, et ce n'est pas un hasard : ils fournissent du fer, du potassium et des fibres. Dans les médecines naturelles, ils sont reconnus pour leurs propriétés détoxifiantes et purifiantes. De plus, les raisins contiennent des phytonutriments qui peuvent contribuer à réduire les risques de cancer et de maladies cardiaques.

Les raisins se présentent en plusieurs couleurs, mais les rouges/noirs sont ceux qui contiennent le plus de nutriments. La substance naturelle clé contenue dans les raisins est le resvératrol. On le retrouve dans la peau des raisins rouges et elle détient des propriétés anticancérogènes.

Les raisins sont attrayants aux yeux des enfants en raison de leur taille et de leur goût sucré. Les raisins sans pépins sont les préférés pour des raisons évidentes, mais ils sont également plus faibles en tanins, un antioxydant efficace qui agit comme antibiotique sur la bactérie qui cause la carie dentaire.

UNE PORTION
Une main d'enfant
pleine de raisins

Maximisez les nutriments

La meilleure façon de savoir si les raisins sont à leur meilleur est d'y goûter. Une grappe de raisins parfaite devrait contenir des raisins bien ronds de taille similaire (les petits raisins ont un goût sur). Évitez les raisins portant des meurtrissures, des signes de moisissure ou une peau flétrie. Les raisins trop mûrs tomberont des branches et ne sont pas à leur meilleur.

À moins d'être biologiques, les raisins doivent être bien lavés avant d'être consommés puisqu'ils sont toujours vaporisés de pesticides et de fongicides. Les raisins non lavés peuvent être conservés dans un sac de polythène au réfrigérateur pendant environ une semaine.

PLAIRE AUX ENFANTS
Si votre enfant refuse de manger des raisins, essayez le jus de raisin. Il est délicieux et retient la plupart des substances pour combattre les maladies.

PÉPITES AUX FRUITS ET AUX NOIX

Votre enfant peut participer à la création de ce petit déjeuner de céréales croquantes. C'est un mélange nutritif d'avoine, de noix, de graines et de fruits recouverts de miel. Plutôt qu'avec du yogourt, vous pouvez servir ces céréales avec du lait et y parsemer une poignée de raisins.

POUR 10

- 55 g/2 oz de noix du Brésil
- 55 g/2 oz de noisettes entières
- 140 g/5 oz de gruau entier à l'avoine
- 55 g/2 oz de graines de tournesol
- 40 g/1½ oz de graines de citrouille
- 2 c. à soupe d'huile de tournesol
- 4 c. à soupe de miel
- 85 g/3 oz de raisins
- 85 g/3 oz d'abricots secs non soufrés, grossièrement coupés
- yogourt bio nature et raisins sans pépins, coupés en deux, pour le service

1 Préchauffez le four à 140 °C/ 275 °F. Hachez grossièrement les noix du Brésil et les noisettes dans un robot culinaire ou placez-les dans un sac de plastique et frappez-les avec l'extrémité d'un rouleau à pâte jusqu'à ce qu'elles soient grossièrement brisées. Déposez les noix en morceaux dans un bol à mélanger avec l'avoine et les graines.

2 Chauffez légèrement l'huile et le miel dans un poêlon. Mélangez jusqu'à ce que le miel fonde, puis ajoutez au mélange d'avoine jusqu'à ce que le contenu du bol soit recouvert.

3 Étendez le mélange en une couche égale sur deux plaques de cuisson et faites cuire au four pendant 35 minutes, en brassant à l'occasion, jusqu'à obtention d'une couleur dorée et d'une consistance croustillante. Le mélange deviendra plus croustillant en refroidissant.

4 Transférez les céréales dans un gros bol à mélanger, et intégrez les raisins et les abricots. Laissez refroidir, puis rangez dans un pot hermétique.

5 Pour servir, saupoudrez une poignée de céréales dans un grand verre et recouvrez d'une couche de yogourt. Disposez des demi-raisins épépinés sur le yogourt et répétez les couches, en terminant avec une couche de raisins.

COMMENT EN MANGER PLUS...

- *Coupez finement des raisins sans pépins et combinez avec du fromage cheddar râpé ou des tranches de brie pour créer une garniture délicieuse pour sandwich.*
- *Cuisez des raisins et des abricots secs dans du jus de raisin rouge jusqu'à ce qu'ils deviennent tendres, puis réduisez en purée pour créer une tartinade aux fruits.*
- *Pour créer des mini pavlovas, coupez une poignée de raisins épépinés en deux et combinez avec des cubes de melon, de mangue ou de nectarine. Versez un peu de jus d'orange et utilisez comme garniture pour des meringues individuelles, fourrées à la crème.*

Melons merveilleux

Juteux, mûrs et aromatiques, les melons sont à leur meilleur lorsqu'ils sont mangés tel quels ou dans une salade de fruits. Le melon est un des rares fruits qui semble populaire aux quatre coins de la planète. Pour créer un dessert aussi simple que joli, coupez un melon rond (charentais, Gallia ou cantaloup) en deux sur l'horizontale et retirez les graines à la cuillère. La coquille en forme de bol devient un contenant parfait pour une salade de fruits, de la crème glacée ou une sauce aux fruits. Du gingembre râpé ou de la menthe fraîche hachée peuvent y être ajoutés. Les graines peuvent être séchées et grillées au four : elles deviendront une délicieuse collation.

Le cantaloup ou le charentais à chair orange sont plus riches en vitamine C que les autres variétés. Une tranche de 100 g / 3½ oz fournit plus de la moitié de l'apport quotidien recommandé. Ces types procurent également plus de bêta-carotène, de folates et de vitamine B$_{12}$. Tous les melons sont faibles en calories en raison de leur contenu élevé en eau.

UNE PORTION
Une petite tranche

Maximisez les nutriments

Lorsque vous achetez un melon, recherchez un fruit lourd pour sa taille et qui cède à une légère pression près de l'extrémité pédonculaire. Il devrait aussi avoir une bonne odeur, mais pas trop forte ou musquée puisqu'il serait alors trop mûr. Évitez les melons avec des meurtrissures, des taches molles ou une pelure renfoncée puisque cela pourrait

COMMENT EN MANGER PLUS...

- *Enfilez des cubes de feta ou de mozzarella sur une brochette avec des cubes ou des boules de melon d'eau.*
- *Mélangez le melon de miel ou le cantaloup avec du miel, du jus de lime et de la menthe ou du gingembre moulu pour créer une boisson rafraîchissante.*
- *Congelez des tranches de melon pelé, puis réduisez en purée dans un robot culinaire pour créer un granité rafraîchissant et succulent.*
- *Pour réaliser une salade rapide, disposez des cubes de poulet cuit et de melon au centre d'un lit de feuilles de laitue iceberg. Ajoutez quelques tomates cerise coupées en deux et un peu de mayonaise en guise de vinaigrette.*

indiquer que le fruit a commencé à pourrir. Pour laisser mûrir un melon, laissez-le à la température ambiante jusqu'à ce qu'il commence à dégager une bonne odeur et qu'il devienne légèrement tendre à l'extrémité pédonculaire. Lorsque coupé, il est préférable de le conserver au réfrigérateur, emballé dans une pellicule plastique ou un sac de polythène. Évitez d'acheter des fruits déjà tranchés puisque leur quantité de nutriments sera diminuée. Vous pouvez congeler le melon, coupé en cubes et placé dans un sac allant au congélateur, jusqu'à trois mois.

BÂTONNETS DE FRUITS AVEC TREMPETTE AU CHOCOLAT

Ce dessert est amusant à déguster et peut être adapté pour inclure le fruit préféré de votre enfant. Les bâtonnets à cocktail en bois peuvent être retirés si vous servez ce dessert à de jeunes enfants. Ne jetez pas la moitié de melon évidée, vous pourrez rendre ce dessert encore plus divertissant en piquant les bâtonnets dans la coquille jusqu'à ce qu'elle soit recouverte, comme les pics d'un hérisson.

3

POUR 4

- ½ cantaloup, coupé à l'horizontale, les graines enlevées à la cuillère
- 1 mangue, coupée en morceaux de la grosseur d'une bouchée
- 10 fraises en tranches
- 1 c. à soupe de jus de citron
- bâtonnets à cocktail en bois

Pour la sauce au chocolat :
- 100 g/3½ oz de chocolat au lait de bonne qualité
- 150 ml/⅔ tasse de crème
- 1 à 2 c. à soupe de sucre à glacer non raffiné, au goût

1 À l'aide d'une cuillère parisienne, retirez la chair du melon et déposez-la dans un bol. Défaites toute la chair de cette façon et déposez-la dans le bol, puis versez le jus de citron.

2 Enfilez les morceaux de fruit sur les bâtonnets.

4 Pour préparer la sauce au chocolat, déposez le chocolat, la crème et le sucre dans un plat résistant à la chaleur au-dessus d'une eau frémissante. Réchauffez légèrement le chocolat, en mélangeant à l'occasion,

jusqu'à ce qu'il soit fondu. Laissez légèrement refroidir, puis versez dans quatre plats individuels.

5 Chaque personne trempe ses bâtonnets dans son propre plat de sauce au chocolat.

La folie des prunes

Fruit parfait pour un enfant, la prune tient confortablement dans la main d'un petit, la rendant facile à manger. De plus, lorsqu'elles sont à leur meilleur, la chair juteuse des prunes n'a besoin d'aucun accompagnement. Les prunes sont très polyvalentes et peuvent être facilement transformées en délicieuses confitures, mousses, sauces aux fruits et crèmes glacées. Elles peuvent aussi être ajoutées aux croustades, aux tartes et aux gâteaux. Elles trouvent facilement leur place dans la boîte à lunch.

Étonnamment, il existe plus de 2 000 variétés de prunes, même si l'on n'en retrouve que quelques-unes dans les épiceries et les marchés. Certaines sont meilleures cuites, alors que d'autres sont aussi délicieuses cuites que nature. Règle générale, les prunes foncées ont une pelure légèrement plus amère et une saveur plus acidulée, alors que les variétés jaunes et rouges sont souvent plus sucrées.

Les prunes regorgent d'anthocyanes qui renforcent le système immunitaire, qui auraient des capacités pour combattre la maladie et pourraient même protéger le cerveau des effets dommageables des radicaux libres et des toxines. Elles contiennent aussi de la quercétine, un autre combattant des radicaux libres, ainsi que du potassium, essentiel à l'équilibre hydrique et à la régulation de la pression artérielle. Fait étonnant, elles contiennent également de la vitamine E, excellente pour la peau.

UNE PORTION
1 à 2 prunes
fraîches

Maximisez les nutriments

Les prunes sont délicates et peuvent facilement s'abîmer. Recherchez donc des fruits sans tachetures. Choisissez des prunes fermes, bien rondes, qui ne sont pas tout à fait mûres, car elles mûrissent rapidement, ce qui signifie que leurs nutriments diminuent. Pour préserver leur niveau de nutriments, rangez les prunes mûres au réfrigérateur pendant une journée ou deux au plus. Afin de conserver leurs vitamines et minéraux, il est préférable de les servir non cuites. Si vous les cuisez à l'étuvée, faites-le brièvement dans un peu d'eau ou dans du jus naturel de fruits pour retenir autant de nutriments que possible.

Séchées, les prunes contiennent beaucoup de fibres et plusieurs minéraux (voir pages 62-63), et sont reconnues pour leur capacité à soulager la constipation. Le processus de séchage concentre les nutriments, en particulier le potassium et le fer.

PIZZA AUX PRUNES SUCRÉES

Pour cette recette, j'ai utilisé une pâte feuilletée du commerce. J'ai aussi déjà préparé la base avec de la pâte à pizza que j'ai enrichie d'un jaune d'œuf et sucrée avec deux cuillères à soupe de sucre à glacer. C'est tout à fait délicieux et ça change du fromage et des tomates !

POUR 4 À 6

- 40 g/1½ oz d'amandes hachées
- 40 g/1½ oz de sucre à glacer
- 1 jaune d'œuf
- 40 g/1½ oz de beurre non salé
- 1 feuille de pâte feuilletée
- 1 œuf battu
- 6 prunes rouges dénoyautées et tranchées
- 2 c. à soupe de confiture de prunes ou d'abricots
- lait pour badigeonner

1 Préchauffez le four à 200 °C/ 400 °F. Dans un bol à mélanger, combinez les amandes hachées, le sucre à glacer, le jaune d'œuf et le beurre, jusqu'à obtention d'une consistance crémeuse. Refroidissez.

2 Étendez la pâte sur une plaque de cuisson et repliez les rebords pour créer une lèvre de 2 cm/¾ po. Badigeonnez les rebords avec du lait.

3 Étendez la crème d'amandes sur la pâte, en laissant un écart sur le contour puisqu'elle s'évasera pendant la cuisson, puis disposez les prunes sur le dessus.

4 Chauffez la confiture avec une cuillère à soupe d'eau jusqu'à ce qu'elle fonde, puis badigeonnez sur les prunes pour leur donner du brillant. Faites cuire votre pizza pendant 20 à 25 minutes, jusqu'à ce que la pâte devienne dorée.

COMMENT EN MANGER PLUS...

- *Prunes et crème anglaise font un mariage parfait. Mélangez ensemble 4 c à soupe de yogourt nature avec la même quantité de crème anglaise du commerce, et servez avec une prune ou deux en tranches. Pour transformer en petit déjeuner, saupoudrez avec une cuillère de céréales croquantes et de graines de tournesol ou de citrouille. Vous pouvez aussi laisser tomber la crème anglaise et n'utiliser que du yogourt nature ou aromatisé.*
- *Dénoyautez et coupez des prunes en quartiers, puis enfilez-les sur un bâtonnet. Badigeonnez de miel et grillez jusqu'à tendreté.*
- *Pour obtenir une sauce barbecue des plus simples, faites revenir un oignon et des prunes dénoyautées coupées en dés dans de l'huile de tournesol. Ajoutez de la cassonade, un peu de vinaigre de vin blanc et de l'eau, puis faites cuire jusqu'à tendreté. Réduisez en purée ou écrasez jusqu'à obtention d'une sauce.*
- *Faites du jus avec les prunes et combinez-les à des pêches ou à des nectarines pour produire un riche nectar doré.*

Pêches et nectarines

Souvent plus sucrées que les pêches, les nectarines sont une source riche de vitamine C, qui contribue à l'absorption du fer et qui est essentielle à une peau, à des os et à des dents en santé. Un manque de fer est associé à l'anémie, aux sautes d'humeur, à des retards de développement et à une mauvaise concentration. C'est également un des nutriments dont les enfants manquent le plus, en particulier les touts-petits et les adolescentes. Les deux fruits constituent une bonne source de bêta-carotène.

Les pêches et les nectarines sont très polyvalentes... mais rien ne bat le fruit lorsqu'il est mûr et juteux, et qu'on y croque à pleines dents. Elles se laissent facilement transformer en boissons fouettées crémeuses, en purées succulentes, en crèmes glacées et en tartes, et peuvent ajouter un goût sucré naturel lorsqu'elles sont mélangées aux caris, aux ragoûts ou aux riz pilaf.

UNE PORTION
1 pêche ou une nectarine petite à moyenne

Maximisez les nutriments

Tout comme les pêches, les nectarines cessent de mûrir une fois cueillies. Évitez donc les fruits durs comme le roc. Si le fruit est légèrement ferme, vous pouvez accélérer son ramollissement en le plaçant dans un sac de papier avec un fruit déjà mûr. Les nectarines devraient être de couleur brillante et lisse, sans plis ni taches. Les pêches ne se conservent pas bien ; leur chair délicate commence à se détériorer dès la cueillette. Gardez-les à la température ambiante pendant quelques jours, puis rangez-les au réfrigérateur. D'un point de vue nutritif, les pêches et les nectarines sont meilleures lorsqu'elles ne sont pas pelées puisque

la plus grande part de leur vitamine C se retrouve sous la pelure.

Les pêches en conserve dans leur jus sont un bon dépanneur, mais elles n'ont pas la complexité de goût du fruit frais. Le processus de mise en conserve élimine également environ 80 pour cent de la vitamine C qu'elles contiennent à l'état naturel.

PLAIRE AUX ENFANTS
Si votre enfant n'apprécie pas la pelure velue de la pêche, celle-ci est facile à peler. Déposez la pêche dans un contenant ou un bol et versez de l'eau bouillante sur le fruit. Laissez agir pendant environ 30 secondes, puis videz l'eau pour la remplacer par de l'eau froide du robinet. La peau s'enlèvera alors facilement.

NECTARINE MELBA

Le goût de ce dessert dépend de nectarines et de framboises parfaitement mûres, ce qui influence également son contenu en vitamines. Essayez de le préparer aussi proche que possible du moment de servir puisque les niveaux de vitamines diminuent une fois le fruit coupé ou réduit en purée.

POUR 4

- 250 g/9 oz de framboises
- 1 c. à thé de jus de citron frais
- 2 c. à soupe de sucre à glacer
- 4 nectarines mûres
- 8 c. de crème glacée à la vanille de qualité, ramollie
- flocons d'amandes grillés, pour décorer (optionnel)

1 Pour préparer la sauce, réduisez les framboises en purée au mélangeur puis passez au tamis pour éliminer les graines. Ajoutez le jus de citron et le sucre à glacer. Goûtez à la sauce pour vérifier si elle est suffisamment sucrée. Vous devrez peut-être ajouter un peu de sucre.

2 Coupez les nectarines en deux le long de la rainure naturelle et retirez les noyaux. Déposez les deux moitiés de nectarine sur chaque assiette de service. Déposez une cuillère de crème glacée dans chaque fruit.

3 Ajoutez la sauce aux framboises et saupoudrez d'amandes, le cas échéant.

COMMENT EN MANGER PLUS...

- *Incorporez de petits cubes de nectarines ou de pêches dans un couscous, du bulgur ou du riz brun, puis saupoudrez des amandes en flocons grillées ou des noix de pin et ajoutez un jet d'huile d'olive et de jus de citron.*
- *Pour créer des portions de croustade individuelles, coupez une pêche ou une nectarine en deux et retirez le noyau. Remplissez la cavité avec un mélange à croustade, puis déposez le fruit dans un plat beurré allant au four. Faites cuire au four à 180 °C/350 °F pendant environ 20 minutes, jusqu'à ce que la croustade soit dorée.*
- *Pour une tarte, coupez une pêche ou une nectarine en deux et retirez le noyau. Découpez des cercles de 10 cm/4 po de pâte feuilletée et placez une demi-pêche ou une demi-nectarine au centre du cercle de pâte. Incisez légèrement la pâte autour de chaque fruit, sans couper au travers. Faites fondre de la confiture d'abricots ou du miel dans un poêlon sur un feu doux, puis badigeonnez un peu de confiture sur chaque fruit. Placez sur une plaque de cuisson graissée et faites cuire dans un four préchauffé à 180 °C/350 °F pendant 20 à 25 minutes, jusqu'à ce que la pâtisserie gonfle et devienne dorée.*

Mangues et papayes

Ces fruits exotiques sont dotés d'une saveur et d'une apparence tout aussi exotiques. La grande papaye en forme de poire, aussi connue sous le nom d'asimine, renferme une chair orange-rosé qui dégage un arôme parfumé, ainsi que des graines noires au centre qui ont un goût poivré lorsque séchées, mais qu'on jette normalement.

La couleur de la peau de la mangue varie du vert et du jaune à l'orangé et au rouge. L'intérieur revêt une couleur orange dorée. Pas toujours facile à apprêter parce qu'elle est assez volumineuse, que son noyau central est plat et que sa chair est visqueuse, la mangue peut être pelée et sa chair tranchée autour du noyau. On peut aussi couper la peau et la chair en cubes à l'aide de la méthode décrite dans *Comment en manger plus...* en page 61. Ne jetez pas la chair qui reste autour du noyau; proposez aux enfants de sucer ce qui reste, mais attention, il y aura du jus partout !

Les mangues et les papayes mûres sont à leur meilleur lorsque servies en toute simplicité : tranchées et saupoudrées d'un peu de jus de citron ou de lime, en cubes dans une salade de fruits, ou en purée afin de créer une sauce pour crème glacée ou une base pour un autre dessert. Les fruits qui ne sont pas tout à fait mûrs sont souvent utilisés dans les salades asiatiques du sud-est.

La papaye contient une enzyme appelée papaïne qui contribue à la digestion et qui peut être utilisée pour attendrir la viande. Par contre, la papaye est impossible à transformer en gelée puisque la papaïne l'empêchera de saisir. Les deux fruits ont aussi en commun des quantités abondantes de vitamine C et de bêta-carotène. Ces deux nutriments constituent des antioxydants importants et sont bénéfiques aux cheveux, à la peau et aux ongles.

UNE PORTION
Une tranche
de mangue ou
de papaye

Maximisez les nutriments

Une papaye mûre dégage une senteur délicate et sa pelure jaune mouchetée cède légèrement sous la pression. Elle s'abîme facilement et devrait donc être manipulée avec soin pour préserver son contenu en nutriments.

Cela peut prêter à confusion, la couleur de la pelure de la mangue n'indique pas sa maturité; certaines demeurent complètement vertes lorsqu'elles sont mûres. Toutefois, comme c'est le cas de la papaye, la pelure d'une mangue mûre devrait céder légèrement à la pression et est très parfumée. Le fruit qui n'est pas suffisamment mûr devrait être laissé à la température ambiante jusqu'à tendreté.

Les deux fruits contiennent beaucoup de vitamine C et de bêta-carotène lorsqu'ils ne sont pas cuits.

FEUX DE CIRCULATION EN SORBET

Le rouge, le jaune et le vert des feux de circulation sont ici reproduits grâce à des languettes fruitées congelées, faites à partir de purée de kiwis, de mangue et de fraises.
Les graines du kiwi peuvent rebuter certains enfants et elles ne sont pas faciles à enlever au tamis. Il est donc préférable de retirer d'abord le cœur à la cuillère.

POUR 4

- 250 g/9 oz de fraises équeutées
- sucre à glacer, au goût
- 1 mangue
- 4 kiwis, coupés en deux

1 Réduisez les fraises en purée au robot culinaire ou au mélangeur, puis passez au tamis pour éliminer les graines. Goûtez et sucrez avec le sucre à glacer, au goût. Versez la purée dans quatre moules à sucettes glacées, puis congelez pendant environ une heure, jusqu'à obtention d'une consistance semi-solide.

2 Pendant ce temps, pelez et tranchez la chair de la mangue et réduisez en purée.

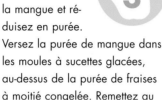

Versez la purée de mangue dans les moules à sucettes glacées, au-dessus de la purée de fraises à moitié congelée. Remettez au congélateur pendant environ 45 minutes, jusqu'à obtention d'une consistance semi-solide.

3 À l'aide d'une cuillère, retirez les graines du kiwi et jetez, puis retirez la chair. Réduisez en purée, puis passez au tamis pour éliminer les graines. Ajoutez la purée dans les moules à sucettes glacées et insérez le bâton, selon le type de moules que vous utilisez. Congelez jusqu'à ce que vos sucettes soient congelées.

COMMENT EN MANGER PLUS...

- *Pour peler une mangue, tenez le fruit d'une main et coupez à la verticale d'un côté jusqu'au noyau. Répétez de l'autre côté. Prenez chaque grande tranche et coupez la chair en un motif de carreaux jusqu'à la peau sans la traverser. Retournez chaque moitié de mangue ainsi découpée et découpez en cubes.*
- *Combinez des tranches de mangue ou de papaye à des languettes de poulet cuit ou à du jambon fumé et à des tranches de concombre. Ajoutez du jus de citron et de l'huile d'olive pour créer une salade rafraîchissante.*
- *Réduisez tout simplement en purée une mangue ou une papaye et servez en guise de sauce aux fruits sur une salade de fruits, une meringue, de la crème glacée ou du yogourt. Ces fruits constituent également une excellente base pour les boissons fouettées et les jus.*

Délicieux fruits séchés

C'est tout simplement la collation parfaite puisqu'elle est une bonne source d'énergie et qu'elle regorge de nutriments; si votre enfant lève le nez sur les pruneaux et les figues séchées, il préférera peut-être les abricots, les mangues, les ananas, les pêches, les bananes ou les anneaux de pommes séchés. Le processus de déshydratation concentre les sucres naturels des fruits, et augmente le contenu de bêta-carotène, de fibres solubles, de vitamines B, de fer et de potassium. Toutefois, c'est au détriment de la vitamine C qui diminue pendant ce procédé. Gardez en tête que les fruits séchés contiennent beaucoup de sucre et qu'ils peuvent favoriser la carie et les affections gingivales.

En raison de leur contenu élevé de fibres solubles, les fruits séchés – en particulier les pruneaux et les figues – sont un choix naturel pour le soulagement de la constipation. Boire un verre de jus de pruneau, par exemple, avant le coucher favorisera la selle le lendemain matin. En plus d'être délicieux, les pruneaux contiennent de grandes quantités d'antioxydants, presque deux fois plus que les bleuets frais.

Évitez les fruits séchés qui contiennent du dioxyde de soufre (E220), un agent de conservation qui peut déclencher des crises d'asthme chez certaines personnes vulnérables.

UNE PORTION
1 c. à soupe comble

COMMENT EN MANGER PLUS...

- *Oubliez les confitures très sucrées qui contiennent peu de fruits et préparez votre propre tartinade aux fruits. Déposez 200 g/7 oz d'abricots, de dattes, de mangues, d'ananas ou de pêches séchés coupés dans un poêlon avec 150 ml/5 oz liq. de jus de pomme frais et 100 ml/3½ oz liq. d'eau. Amenez à ébullition et continuez la cuisson à feu doux pendant environ 20 minutes, soit jusqu'à ce que les fruits soient très mous. Réduisez en purée et laissez refroidir.*
- *Ajoutez des abricots, des dattes ou des pommes séchés coupés en morceaux dans des farces, aux noix grillées et aux mélanges à burger. Ou ajoutez-en aux couscous, aux riz pilaf, aux caris ou aux ragoûts.*
- *Préparez votre propre mélange montagnard en combinant des fruits séchés coupés en petits morceaux avec des noix et des graines non salées.*

Maximisez les nutriments

Il est préférable d'acheter les fruits séchés en petites quantités et de les ranger dans des contenants hermétiques. Le bêta-carotène, les lycopènes et les fibres solubles qu'ils contiennent seront plus facilement absorbés par le corps lorsque le fruit est cuit.

MUFFINS COLLANTS AUX DATTES ET SAUCE AU CARAMEL

*Ces muffins sont excellents lorsque
servis chauds avec une sauce
au caramel.*

2

POUR 10 MUFFINS

- 200 g/7 oz de dattes
  dénoyautées, hachées
- 200 ml/7 oz liq. d'eau
- 1 c. à thé de bicarbonate
  de soude
- 55 g/2 oz de beurre non salé
- 175 g/6 oz de farine à levure
- 150 g/5½ oz de sucre à glacer
- 1 c. à thé d'extrait de vanille
- 2 œufs battus
- 4 poignées de framboises,
  pour le service

Pour la sauce au caramel :
- 142 ml/4½ oz liq.
  de crème double
- 1 c. à soupe de sirop d'érable
- 70 g/2½ oz de cassonade pâle
- 55 g/2 oz de beurre non salé

1 Préchauffez le four à 180 °C/
350 °F. Déposez 10 cassolettes en
papier dans un moule à muffins.

2 Déposez les dattes dans un poêlon avec l'eau et portez à ébullition. Cuisez pendant 10 minutes,
jusqu'à ce qu'elles ramollissent.
Ajoutez en mélangeant le bicarbonate de soude et le beurre. Mélangez jusqu'à ce que le beurre soit
fondu. Laissez refroidir, puis passez au mélangeur pour créer une
purée avec des morceaux.

3 Tamisez la farine dans un bol à
mélanger. À l'aide d'une cuillère
de bois, incorporez le sucre, la
vanille, les œufs et la purée de
dattes. Divisez le mélange en 10
dans les cassolettes et faites cuire
pendant 20 minutes
jusqu'à ce qu'ils
gonflent et soient

brun doré. Laissez refroidir
sur une grille métallique.

4 Pour faire la sauce au caramel,
versez la crème, le sirop, le sucre
et le beurre dans un petit poêlon.
Amenez à ébullition en mélangeant sans arrêt, puis continuez
la cuisson à feu doux pendant
environ 10 minutes, jusqu'à épais-
sissement et obtention d'une couleur brillante. Retirez du feu et
laissez refroidir légèrement.

5 Retirez les muffins des cassolettes
et servez avec la sauce et

LÉGUMES

Carottes colorées

Les carottes ont vraiment les qualités d'un super héros…
Et c'est bien plus qu'une légende urbaine lorsqu'on dit
qu'elles nous aident à voir dans le noir. C'est grâce aux
niveaux élevés de bêta-carotène que contiennent les
carottes, qui est converti en vitamine A dans le corps,
cette dernière étant essentielle à une bonne vision. Des
études prouvent qu'une seule carotte par jour peut
contribuer à améliorer la vision nocturne.

Les carottes sont un des légumes que les enfants préfèrent crus. C'est d'ailleurs tant mieux puisqu'elles contiennent davantage de vitamine C lorsqu'elles ne sont pas
cuites. La texture croquante et le goût sucré naturel des
carottes non cuites sont à préférer à une cuisson légère ou
à une cuisson à la vapeur. Si vous avez l'âme créative, au
lieu de couper des bâtonnets, présentez les
carottes coupées en différentes formes.

Les carottes en purée sont un aliment
de choix pour les bébés. Elles peuvent
aussi, sous cette forme, être facilement
cachées dans les sauces pour les pâtes,
les soupes et les garnitures de tarte afin
de mystifier les plus grands enfants.
Finement râpées, les carottes dispa-
raissent presque complètement lorsqu'elles
sont ajoutées à un mélange maison pour burgers ou à un
mélange à falafels. Elles sont également un ajout coloré
aux salades mélangées et à la salade de chou (vous pouvez même en ajouter à une salade de chou du commerce). Je défie également n'importe quel enfant de
reconnaître des carottes dans plusieurs gâteaux !

UNE PORTION
2 à 3 c. à soupe

Maximisez les nutriments

Choisissez des carottes fermes et non ridées ; les plus
petites seront les plus sucrées. Si vous achetez des carottes
avec les feuilles, il est préférable de les enlever dès votre
arrivée à la maison puisqu'elles volent les nutriments à la
racine. Des quantités élevées de pesticides sont souvent
présentes sur les carottes. Achetez-les donc bio si vous le
pouvez. Il n'est pas essentiel de peler les carottes biologiques, mais si elles ne le sont pas, il est important de les
peler et de couper les bouts puisque ce sont eux qui contiennent le plus de résidus. Le bêta-carotène et les fibres
sont plus faciles à assimiler pour l'enfant lorsque les carottes sont cuites, surtout si elles le sont dans un peu de gras.

Carottes colorées

BURGERS MAISON

J'ai utilisé du bœuf haché maigre biologique pour créer ces burgers tout simples, mais j'aurais aussi pu utiliser du poulet, de la dinde, de l'agneau haché ou une combinaison végétarienne.

POUR 4

- 1 oignon râpé
- 1 grosse carotte finement râpée
- 2 c. à soupe de germes de luzerne
- 1 gousse d'ail écrasée
- 1 c. à thé d'origan séché
- 30 g/1 oz de chapelure de blé entier
- 375 g/13 oz de bœuf haché maigre biologique
- 1 œuf battu
- farine, pour enfariner
- sel et poivre
- huile d'olive, pour la friture

Pour servir :
- des pains à hamburger de grains entiers, des tomates, de la laitue, des ciboules, du hoummos, du ketchup ou de la mayonnaise

1 Dans un bol, mélangez ensemble l'oignon, la carotte, les germes de luzerne, l'ail, l'origan, la chapelure et la viande. Assaisonnez, couvrez avec une pellicule plastique et réfrigérez pendant 30 minutes. Avec les mains enfarinées, façonnez le mélange en 4 boulettes.

2 Faites chauffer suffisamment d'huile pour recouvrir légèrement le fond d'un poêlon à frire. Faites cuire les burgers deux par deux pendant environ 4 minutes de chaque côté.

3 Pour servir, ouvrez un pain à hamburger, insérez une boulette, de la laitue, des tomates, de l'oignon et les condiments de votre choix.

COMMENT EN MANGER PLUS...

- *Préparez une boisson nutritive pour le petit déjeuner en faisant un jus de carotte et de pomme.*
- *Pour créer des petits gâteaux fées dorées, déposez 12 cassolettes de papier dans un moule à muffin et préchauffez le four à 180 °C/350 °F. Tamisez 225 g/8 oz de farine à levure avec une pincée de sel et 2 c. à thé d'épices mélangées moulues. Ajoutez en mélangeant 225 g/8 oz de cassonade pâle et 225 g/8 oz de carottes râpées. Battez 3 œufs et 175 ml/6 oz liq. d'huile de tournesol, puis ajoutez au mélange de farine. Versez le mélange dans les cassolettes en papier et faites cuire pendant environ 25 minutes, jusqu'à ce que les muffins gonflent. Pour le glaçage, mélangez 55 g/2 oz de fromage à la crème et 30 g/1 oz de beurre jusqu'à obtention d'une consistance légère et crémeuse. Battez 40 g/1½ oz de sucre à glacer et faites refroidir pendant 15 minutes. À l'aide d'un petit couteau pointu, découpez un cône à partir du centre de chaque muffin refroidi. Découpez le cône en deux pour créer deux ailes. Déposez le glaçage au centre et posez les ailes au-dessus.*

Oignons et poireaux

Ma fille, lorsqu'elle était petite, adorait les tranches d'oignon cru... À son insu, elle se rendait un fier service. Dans les médecines naturelles, les oignons sont hautement estimés, étant l'un des plus anciens remèdes et un remède universel naturel. Dans le passé, une infusion d'oignons était souvent donnée aux bébés pour soulager les coliques.

Les oignons, les poireaux, les ciboules, les échalotes et la ciboulette contiennent tous des phytonutriments qui peuvent protéger contre le cancer et les maladies cardiaques. Cuits ou crus, les oignons proposent des quantités appréciables de fibres, et détiennent des propriétés antivirales et antibactériennes, contribuant à prévenir les rhumes, à soulager la congestion bronchique, l'asthme et la fièvre des foins.

Les oignons peuvent aussi protéger contre les effets des aliments gras dans le sang. Toutefois, c'est la présence de la quercétine, un antioxydant, en vertu de son rôle pour combattre le cancer, qui serait le plus valable, puisqu'elle est plus facilement absorbée à partir des oignons qu'à partir de tout autre aliment. Les poireaux détiennent des

UNE PORTION
2 à 3 c. à soupe

composants actifs semblables à ceux des oignons, mais proposent également des quantités utiles de vitamines C et E.

N'oublions pas non plus la contribution des oignons et des poireaux à la cuisine. Ils sont tous deux indispensables, ajoutant saveur et texture à une variété de plats salés. Finement hachés, ils sont très difficiles à détecter dans bien des plats... La saveur plus douce des poireaux est excellente dans les soupes, les ragoûts et les tartes, ou quand ils sont cuits vapeur avec une sauce crémeuse ou au fromage, ou encore dans un sauté.

Maximisez les nutriments

Les oignons et les poireaux frais et crus détiennent la concentration la plus élevée de phytonutriments. Les oignons rouges ont des niveaux plus élevés de quercétine que les blancs.

Lorsque vous achetez des oignons, choisissez ceux dont la pelure est sèche et parcheminée, et exempts de moisissures ou de régions molles. Ils se garderont pendant environ un mois dans un endroit frais et sombre. Tentez d'acheter des poireaux dont les racines sont intactes, puisqu'ils ont tendance à se détériorer plus facilement sans leurs racines. Les poireaux préparés ou pré-lavés auront déjà perdu une certaine partie de leurs nutriments.

SOUPE DE POIREAUX ET DE POMMES DE TERRE

Je ne m'excuse même pas d'inclure dans ce livre cette recette favorite de tous les temps. J'y ai ajouté des flocons de bacon croustillant, mais ils sont évidemment optionnels. Des croûtons, des oignons frits croustillants ou du fromage cheddar râpé peuvent également être ajoutés.

POUR 4

- 1 c. à soupe d'huile d'olive
- 4 poireaux tranchés
- 1 branche de céleri coupée en morceaux
- 2 grosses carottes coupées en morceaux
- 3 pommes de terre moyennes pelées et coupées en dés
- 1 feuille de laurier
- 1,2 litre/5 tasses de bouillon de légumes
- 3 c. à soupe de crème fraîche ou de double-crème
- 3 tranches de bacon, grillées croustillantes et coupées
- sel et poivre

1 Faites chauffer l'huile d'olive dans un grand poêlon à couvercle et ajoutez les poireaux. Faites revenir à feu moyen pendant 5 minutes, jusqu'à ce qu'ils ramollissent. Ajoutez le céleri, les carottes, les pommes de terre et la feuille de laurier, puis cuisez pendant 5 minutes de plus.

2 Ajoutez le bouillon et amenez à ébullition, puis couvrez partiellement et cuisez à feu doux pendant 15 à 20 minutes. Transférez les légumes dans le mélangeur et réduisez en purée jusqu'à obtention d'une consistance lisse.

3 Transférez le tout dans le poêlon, assaisonnez au goût et ajoutez la crème fraîche ou la double-crème. Chauffez avant de servir et saupoudrez de flocons de bacon.

COMMENT EN MANGER PLUS...

- *Une fois grillés, les oignons perdent leur goût piquant et développent un goût sucré caramélisé. Coupez l'oignon - les oignons rouges sont particulièrement savoureux - en quartiers et faites griller dans l'huile d'olive pendant 30 à 35 minutes jusqu'à tendreté et jusqu'à ce que les côtés soient légèrement noircis.*
- *Pour apprêter des pommes de terre au four farcies au fromage, faites cuire 4 pommes de terre pendant 1 h à 1 h ½. Pendant ce temps, cuisez à la vapeur deux poireaux coupés. Coupez chaque pomme de terre en deux et retirez la chair. Réduisez la chair en purée avec 40 g/1½ oz de beurre, 85 g/3 oz de cheddar vieilli râpé, 2 œufs battus, les poireaux cuits et les assaisonnements. Déposez le mélange dans les pelures de pommes de terre et cuisez pendant 20 minutes.*
- *Ajoutez des ciboules coupées aux pommes de terre en purée, à la pâte à pain, aux pâtes alimentaires et au riz.*

Enracinés dans les racines

Aliments réconfortants par excellence, les légumes-racines sont nourrissants, bourratifs et polyvalents. La chair sucrée et dense des navets, des panais, des betteraves, des rutabagas et du céleri-rave propose énergie, fibres et des quantités appréciables de vitamines et de minéraux.

Pour les enfants, la saveur sucrée des légumes-racines est un attrait indéniable, et ce goût sucré est intensifié lorsqu'ils sont grillés. La betterave développe un goût sucré caramélisé tout à fait délicieux lorsqu'elle est grillée. Mais n'oubliez pas de faire griller les betteraves non pelées pendant environ 20 minutes pour accélérer ensuite le grillage.

Le navet, très souvent boudé, a une saveur poivrée et est étonnamment riche en vitamine C et en acides aminés essentiels, par exemple la lysine, reconnue pour prévenir les boutons de fièvre. Les bébés navets ont une saveur plus délicate et, encore une fois, sont savoureux lorsqu'ils sont grillés.

Les légumes-racines sont excellents lorsque réduits en purée, et ajoutent de la substance à toutes les soupes maison ou du commerce. Les casseroles et les tartes seront aussi avantagées par l'ajout de légumes-racines. Par contre, il n'est pas nécessaire de les réserver pour l'hiver puisqu'ils sont également succulents crus dans les salades, pour donner une nouvelle saveur à la traditionnelle salade de chou avec carottes.

UNE PORTION
2 à 3 c. à soupe

Maximisez les nutriments

Recherchez les légumes-racines fermes et sans rides ou taches molles, et conservez-les dans un endroit sombre et frais. La cuisson à l'eau bouillante affecte les quantités de vitamines C et B, il est donc préférable de cuire à la vapeur, au micro-ondes ou de griller. La cuisson augmente la disponibilité du bêta-carotène et des fibres. Si vous faites bouillir les légumes-racines, réservez l'eau de cuisson et utilisez-la comme base pour un bouillon.

COMMENT EN MANGER PLUS...

- *Essayez de combiner différents types de légumes-racines avec des pommes de terre en purée. Les rutabagas, le céleri-rave, le panais, les patates sucrées et les carottes sont aussi intéressants les uns que les autres.*
- *Essayez de concocter vos propres croustilles aux légumes-racines en tranchant finement des betteraves, des carottes, des patates sucrées, des rutabagas et des panais. Cuisez en friture dans l'huile de tournesol jusqu'à ce qu'ils deviennent croustillants, puis égouttez l'huile sur un papier essuie-tout.*
- *Préparez des chips aux légumes-racines en les découpant en quartiers, en les badigeonnant d'huile d'olive et en les cuisant au four à 200 °C/400 °F pendant environ 30 minutes.*
- *Râpez les betteraves, le céleri-rave ou le navet crus et ajoutez-les aux salades mixtes ou aux salades de chou.*

NIDS DE LÉGUMES-RACINES

Ces röstis peuvent être préparés la veille et rangés au réfrigérateur, disposés en couche entre des feuilles de papier sulfurisé. Ils peuvent aussi être frits à plat plutôt que grillés.

POUR 4 NIDS

- 550 g/1 lb 4 oz de pommes de terre, par exemple des Maris Piper, non pelées et coupées en deux
- 275 g/9½ oz de navet ou de céleri-rave, pelé et coupé en gros morceaux
- 175 g/6 oz de carottes, coupées en gros morceaux
- 1 c. à soupe d'huile d'olive, un peu plus pour badigeonner
- 1 gros oignon, finement tranché
- sel et poivre
- 4 gros œufs
- feuilles de roquette, pour servir

1 Faites bouillir les pommes de terre dans un gros poêlon d'eau salée pendant environ 10 minutes ou jusqu'à ce qu'elles soient tendres. Enlevez l'eau, rincez à l'eau froi-de, puis laissez refroidir. Pelez lorsque froides.

2 Pendant ce temps, cuisez le navet ou le céleri-rave et les morceaux de carottes à la vapeur pendant environ 4 minutes, jusqu'à ce qu'ils soient tendres. Rincez à l'eau froi-de, puis laissez refroidir.

3 Faites chauffer l'huile d'olive dans un poêlon à fond épais et faites revenir l'oignon pendant 10 minutes jusqu'à ce qu'il ramollisse, puis réservez.

4 Préchauffez le gril à intensité moyenne. Lorsque tous les légumes sont refroidis, râpez-les dans un bol, ajoutez l'oignon, puis assaisonnez.

5 Façonnez le mélange en 8 röstis, en laissant les rebords relative-ment inégaux. Placez les röstis sur des plaques de cuisson huilées et badigeonnez le dessus avec de l'huile. Faites griller 4 par 4 pendant environ 15 minutes, en les retournant une fois, jusqu'à ce qu'ils soient dorés.

6 Pendant ce temps, faites bouillir les œufs pendant environ 5 minutes, jusqu'à ce que le blanc soit ferme mais le jaune toujours coulant.

7 Disposez les röstis sur des assiettes de service et dispersez quelques feuilles de roquette. Enlevez la coquille des œufs, coupez en deux et placez sur le dessus, puis servez.

Le pouvoir des courges !

La citrouille est toujours associée à l'Halloween, alors qu'on l'évide et qu'on sculpte son enveloppe pour créer une lanterne effrayante ou souriante. Son rôle décoratif est si prédominant qu'on oublie souvent que sa chair sucrée peut aussi être transformée en garnitures de tartes, en soupes crémeuses, qu'elle peut être grillée ou intégrée aux risottos et aux plats de pâte. Tous les membres de la famille des citrouilles sont aussi polyvalents et nutritifs.

Les courges d'hiver sont offertes en plusieurs formes, tailles et couleurs. Des courges de format portion individuelle sont maintenant plus faciles à trouver dans les supermarchés et chez les marchands de fruits et légumes. Elles ont tendance à avoir un goût plus sucré et sont économiques, mais alors que les citrouilles se gardent pendant des mois si elles ne sont pas ouvertes, ces courges doivent souvent être mangées dans les quelques jours suivant la cueillette. Découpez la portion supérieure, retirez les graines et les fibres, puis faites griller jusqu'à ce qu'elles soient tendres, presque fondantes. Les courges les plus petites s'harmonisent bien aux plats auxquels on ajoute de la crème, du fromage, des tomages, de la muscade et du bacon.

Faire bouillir les citrouilles, les courges et les courgettes ne leur rend pas vraiment service. Contenant déjà beaucoup d'eau, elles en absorbent tout sim-plement plus, ce qui les rend détrempées et sans goût. Il est préférable de les rôtir, de les griller ou de les cuisiner au gril électrique, puisque ces méthodes intensifient la sucrosité de ces légumes. Les citrouilles et les courges sont rarement cause d'allergies et sont faciles à digérer, elles sont donc des aliments de sevrage parfaits pour les bébés.

La chair orange foncé est une source abondante de bêta-carotène, ainsi que de vitamines C et E, de plusieurs vitamines B, de magnésium, de potassium et de fibres. La courge musquée est celle qui contient le plus de vitamine C parmi toutes les courges d'hiver. Le magnésium atténue les symptômes du SPM et de l'asthme, alors que les vita-mines B sont bénéfiques au cerveau, à l'humeur et à la mémoire.

UNE PORTION
Une poignée ou
2 c. à soupe

N'oubliez pas non plus d'utiliser les graines de citrouille. Recueillez les graines, retirez les fibres et laissez les graines sécher, puis faites-les griller dans une poêle à frire. Extrêmement nutritives, les graines de citrouille sont un des rares aliments végétaux à fournir les acides gras essentiels oméga-3 et oméga-6, ainsi que du fer, du zinc, du magnésium et de la vitamine E, tous des nutri-ments essentiels pour le cerveau et la concentration.

Pendant les mois chauds, les courges d'été prennent la forme de courgettes (zucchinis), de courges à la moelle et de concombres. Les petites courgettes sont les plus savoureuses, même si un concombre juteux et rafraîchissant sera probablement plus populaire auprès des enfants. Pour les lunchs ou les collations, coupez un concombre en tranches de 7 cm/2 po, retirez les graines et remplissez de fromage à la crème, de hoummos ou de pâté.

Maximisez les nutriments

Recherchez des légumes fermes, brillants et non endommagés qui sont lourds pour leur taille et qui ne présentent pas de taches molles. Les courges d'hiver se conservent quelques semaines dans un endroit frais et sec. Une fois coupées, elles se conservent quelques jours au réfrigérateur. Les courges d'été sont plus délicates et se conservent mieux au réfrigérateur, mais seulement quelques jours.

Faites cuire les courges d'hiver avec un peu d'huile si vous les ajoutez à un plat ; vous augmenterez ainsi la disponibilité du bêta-carotène. Les vitamines B sont perdues si les courges sont cuites dans l'eau.

COMMENT EN MANGER PLUS...

- *Les zucchinis coupés et les cubes de courge ou de citrouille feront des merveilles dans les risottos. Faites frire un oignon jusqu'à ce qu'il devienne tendre, ajoutez les légumes et cuisez pendant 3 minutes de plus, puis suivez la recette. Ajoutez du fromage parmesan finement râpé à la toute fin. Vous pouvez aussi ajouter une cuillère de pesto.*
- *La courge musquée écrasée ou en purée ajoutée à des petites pâtes, avec du parmesan finement râpé et du beurre ou de l'huile d'olive, crée un aliment de sevrage très populaire en Italie.*
- *Cuisez à la vapeur des courgettes finement râpées pendant une minute, puis mélangez-les à de la menthe finement coupée, un peu d'huile d'olive et un peu de jus de citron.*
- *Coupez de la citrouille ou de la courge en grosses bouchées et combinez avec des quartiers d'oignon et de saucisse sur une plaque de cuisson huilée, et faites cuire au four à 200 °C/400 °F pendant environ 30 minutes, en les retournant à l'occasion.*
- *Faites bouillir des pommes de terre avec de la courge musquée et une gousse d'ail jusqu'à tendreté. Retirez l'eau et réduisez en purée avec du lait et beaucoup de beurre. Assaisonnez au goût.*
- *Plutôt que de faire bouillir ou de cuire les courgettes à la vapeur, coupez-les en grandes languettes et faites-les griller jusqu'à ce qu'elles deviennent tendres et légèrement noircies, ce qui leur donne une saveur sucrée.*
- *Broyez des graines de citrouille et ajoutez-les aux boissons fouettées, aux yogourts, aux céréales pour le petit déjeuner, aux crêpes et aux pains. Les graines grillées deviennent simplement une collation aussi pratique que saine.*

FONDUE À LA CITROUILLE

Une coquille de citrouille est un con-
tenant parfait pour une riche fondue
fromagée. Utilisez une variété de
légumes crus comme outils pour
recueillir la fondue. Cette recette
contentera une famille de quatre
comme repas léger ou comme
entrée avec du pain. N'oubliez
pas de manger la citrouille !

2-3

POUR 4

- 1 courge reine-de-table moyenne ou une petite citrouille
- huile d'olive, pour badigeonner
- 4 c. à soupe de vin blanc sec
- 1½ c. à soupe de farine de maïs
- 3 c. à soupe de crème fraîche
- 175 g/6 oz de fromage gruyère râpé
- 1 gousse d'ail écrasée
- sel et poivre

Pour servir :
bâtonnets de carottes, pois mange-
tout, maïs miniatures, brocoli, chou-
fleur, céleri, bâtonnets de pain, craquelins, etc.

1 Préchauffez le four à 200 °C
/400 °F. Retirez la portion supérieure de la citrouille et évidez les
graines et les fibres. Badigeonnez
l'intérieur et le rebord extérieur
avec de l'huile et faites cuire au
four pendant 20 minutes, jusqu'à
ce que la chair soit presque tendre.

2 Pendant ce temps, mélangez
ensemble le vin et la farine de
maïs, puis ajoutez la crème fraîche, le fromage et l'ail. Assaisonnez, puis déposez le mélange
dans la citrouille évidée. Entourez
la citrouille de papier aluminium
ou de papier parchemin et
remettez-la au four pendant
30 minutes, jusqu'à ce que la
fondue ait gonflé et soit dorée.

3 Préparez les légumes. Placez la
citrouille au centre d'un plat de
service et les crudités tout autour.
Lorsque la fondue est terminée,
vous pouvez manger l'intérieur de
la courge ou de la citrouille à la
cuillère.

POULET MAROCAIN AUX ABRICOTS

Il est bien d'encourager les enfants à apprécier différentes saveurs dès le plus jeune âge puisqu'ils risqueront moins d'être difficiles en vieillissant. Ce plat de couscous est légèrement assaisonné au cumin et à la coriandre, c'est donc une introduction parfaite aux aliments épicés. Les adultes souhaiteront peut-être y ajouter du piquant grâce à quelques piments frais coupés.

2-3

POUR 4

- 225 g/8 oz de couscous
- bouillon de poulet ou de légumes chaud, pour couvrir
- 25 g/1 oz de beurre non salé
- 1½ c. à soupe d'huile d'olive
- 1 gros oignon finement coupé
- 3 poitrines de poulet sans peau, coupées en morceaux de la grosseur d'une bouchée
- ½ poivron orange, épépiné et finement coupé
- 2 courgettes en dés
- 2 gousses d'ail écrasées
- 2 c. à thé de cumin moulu
- 2 c. à thé de coriandre moulue
- 1 c. à thé de paprika
- 100 g/3½ oz d'abricots ou de dattes séchés, finement coupés
- 55 g/2 oz de noix de pin grillées
- sel et poivre
- coriandre fraîche hachée pour garnir (optionnel)

1 Placez le couscous dans un bol et couvrez avec 1 cm/½ po de bouillon chaud. Mélangez le couscous et laissez reposer pendant environ 10 minutes, jusqu'à ce que le bouillon ait été absorbé. Gonflez le couscous à la fourchette.

2 Faites chauffer le beurre et l'huile dans un poêlon à fond épais et faites revenir l'oignon pendant 8 minutes, en brassant souvent, jusqu'à ce qu'il fonde et devienne doré.

3 Ajoutez le poulet et cuisez pendant 4 minutes, en brassant à l'occasion, jusqu'à ce qu'il soit doré. Ajoutez le poivron, les courgettes, l'ail, le cumin, la coriandre et les abricots, puis cuisez pendant 5 minutes de plus, en mélangeant, jusqu'à ce que le poulet soit bien cuit et que les légumes soient *al dente*.

4 Ajoutez au couscous et réchauffez à feu doux. Assaisonnez au goût et servez saupoudré de noix de pin et de coriandre, le cas échéant.

Surprenant avocat

Mes enfants ont été sevrés à l'avocat… et ce fruit hautement nutritif constitue un premier aliment par excellence : il n'a pas besoin d'être cuit, est vendu dans son propre emballage et est aussi simple que rapide à préparer. Il n'y a pas si longtemps, les avocats étaient boudés parce qu'ils sont gras. Aujourd'hui, on nous encourage à en manger davantage.

D'un point de vue nutritionnel, les avocats sont un aliment presque complet, proposant de petites quantités de protéines et de glucides, ainsi que de l'huile monoinsaturée qui est bénéfique. Ils contiennent également une plus grande concentration de vitamine E, un antioxydant, que tout autre fruit, ainsi que de lutéine pour la protection des yeux, de certaines vitamines B, de vitamine C, d'acide folique, de potassium et de fer, dont la carence est liée à la fatigue, à la dépression et à une mauvaise digestion. Cette combinaison nutritive contribue aussi à améliorer la condition de la peau et des cheveux.

Pour les enfants, servez l'avocat coupé en deux, sans noyau, et remplissez la cavité avec une vinaigrette simple faite de jus de citron ou de vinaigre balsamique et d'huile d'olive extra-vierge. Ce sera beaucoup plus amusant pour eux que s'il est tranché puisqu'ils pourront manger avec une cuillère. Mais rien ne bat quand même une délectable guacamole à l'ail : ajoutez à l'avocat des poivrons rouges ou des tomates en petits dés pour augmenter l'apport en légumes (et une c. de mayonnaise qui, même si elle ne fait pas partie de la recette originale, donne un résultat plus crémeux).

Les crevettes se marient très bien avec l'avocat. Chez moi, le très traditionnel cocktail de crevettes demeure un des mets préférés. Il est fait de crevettes, de mayonnaise, d'un peu de ketchup, de jus de citron et d'une pincée de paprika sur une moitié d'avocat.

UNE PORTION
½ avocat moyen

Maximisez les nutriments

Essayez de servir l'avocat dès que possible après l'avoir préparé puisqu'il brunira rapidement en contact avec l'air. Pour éviter cet inconvénient, badigeonnez la surface coupée avec du jus de citron, qui aide aussi à préserver les nutriments. Pour préserver la couleur dans une trempette à l'avocat, enfouissez le noyau du fruit au milieu du plat et recouvrez le bol de pellicule plastique. N'oubliez pas de retirer le noyau avant de servir.

FAJITAS AU POULET AVEC GUACAMOLE

Voici un repas satisfaisant et rapidement préparé après l'école.

POUR 4

- 1 c. à soupe d'huile d'olive, un peu plus pour badigeonner
- 4 poitrines de poulet, environ 115 g/4 oz chacune, coupées en languettes
- 1 oignon rouge, tranché
- 1 poivron rouge, épépiné et tranché
- 1 gousse d'ail écrasée
- 1 c. à thé de cumin moulu
- jus de 1 lime
- 4 tortillas molles, pour le service

Pour la guacamole :

- 1 gros avocat, noyau enlevé et chair retirée
- 1 gousse d'ail écrasée
- jus de ½ citron
- 1 tomate, épépinée et finement coupée (optionnel)
- 1 c. à soupe de mayonnaise
- sel et poivre

1 Pour faire la guacamole, déposez tous les ingrédients dans un bol et écrasez à la fourchette jusqu'à obtention d'une consistance crémeuse. Réservez.

2 Chauffez un poêlon à griller, badigeonnez d'huile et ajoutez le poulet. Cuisez pendant 6 à 8 minutes, tournez une fois, jusqu'à ce que le poulet soit bien cuit. Ajoutez l'oignon et le poivron, et grillez jusqu'à ce qu'ils ramollissent.

3 Chauffez l'huile dans un petit poêlon et cuisez l'ail et le cumin pendant 1 minute. Ajoutez le jus de lime et chauffez bien.

4 Chauffez les tortillas et ajoutez une c. du mélange au poulet dans chacune. Ajoutez une c. d'huile épicée et une de guacamole avant de servir.

COMMENT EN MANGER PLUS...

- *Pour créer une vinaigrette crémeuse, passez au mélangeur un avocat et le jus d'une lime ou de ½ citron, 3 c. à soupe de fromage frais et une c. à soupe de coriandre, de menthe ou de basilic frais haché.*
- *Utilisez l'avocat pour remplacer le beurre dans les sandwichs en mélangeant ½ avocat avec un peu de mayonnaise pour obtenir une consistance crémeuse et étendez sur le pain.*
- *Coupez un avocat en deux et retirez le noyau. Badigeonnez de jus de citron et remplissez la cavité de crème fraîche mélangée à du cheddar vieilli râpé et à des flocons de bacon grillé. Saupoudrez de miettes de pain et cuisez au four à 200 °C/400 °F pendant 12 à 14 minutes, jusqu'à obtention d'une couleur dorée.*

Brocoli brillant

Bien qu'équivalant à une centrale électrique de nutriments et de bonnes choses, les bienfaits santé du brocoli ne séduisent souvent pas les enfants. C'est plutôt à cause du goût que les parents doivent négocier. Par contre, une fois surmonté, on aime le brocoli pour la vie !

Fait intéressant, les jeunes enfants ont davantage de papilles que les adultes et leur palais s'en trouve plus sensible, ce qui peut rendre le goût du brocoli légèrement amer. Cette amertume est aussi influencée par la température. Même les amoureux du brocoli trouveont que le brocoli froid n'est pas très intéressant. Puisque les enfants ont tendance à garder ce qu'ils aiment le moins dans un repas pour la fin, ils risquent de manger leur brocoli... froid. Je sers parfois le brocoli un peu après les autres éléments du repas, pour qu'il reste au moins tiède même s'il est mangé en dernier. On peut aussi combiner un aliment amer à un produit laitier pour atténuer cette amertume.

Par contre, ce qui joue en faveur du brocoli est sa forme. Plusieurs d'entre nous ont tenté l'astuce : « Goûte au petit arbre »... Celle-ci a tendance à fonctionner, surtout si la thématique du repas est le jardin... N'oubliez pas les tiges puisqu'elles sont aussi nutritives.

Curieusement, ma fille adore manger les tiges et se bat pour ne pas manger les fleurs, alors que mon fils fait exactement le contraire ! J'ai découvert que le brocoli biologique avait un goût supérieur au non biologique.

Maximisez les nutriments

Il est préférable de cuire le brocoli à la vapeur ou de le faire sauter plutôt que de le bouillir puisqu'il perdrait ainsi les nutriments hydrosolubles tels l'acide folique et la vitamine C. Les brocolis trop cuits perdent en goût et en nutriments, il faut donc éviter. Le brocoli bouilli a tendance à devenir pâteux, alors que cuit à la vapeur, sauté ou cuit au microondes, il conservera sa saveur et ses avantages pour la santé. Servez le brocoli avec ses tiges tendres mais pas molles.

Le brocoli cru contient presque autant de calcium que le lait. Cuit, il ne perdra pas totalement ses minéraux. Les enfants préfèrent souvent les légumes crus aux légumes cuits et tant que le brocoli est jeune et frais, les tiges et les fleurs sont parfaites pour faire trempette dans le hoummos, la mayonnaise, la trempette au fromage à la crème ou la guacamole.

Des chercheurs ont montré que les phytonutriments du brocoli sont tout particulièrement valables pour stimuler les capacités de défense naturelles du corps, en particulier contre le cancer du poumon, du côlon, du sein et de la prostate. Des études récentes montrent que servir

UNE PORTION
Une poignée ou
1 fleur de taille
moyenne

ensemble du brocoli et des tomages augmentent leurs qualités de protection contre le cancer. Parmi d'autres attributs impressionnants, nommons plusieurs vitamines B, du fer, du zinc, du potassium et des fibres. Idéalement, le brocoli devrait faire partie du régime alimentaire hebdomadaire de votre enfant.

▼ COMMENT EN MANGER PLUS...

- *Une sauce au fromage crémeuse aidera à camoufler l'amertume du brocoli. Essayez de combiner le brocoli avec les poireaux, le chou-fleur et les pâtes. Versez la sauce au fromage sur le brocoli, puis saupoudrez des miettes de pain de blé entier combinées à des noix et à des graines hachées. Faites griller jusqu'à ce que le dessus soit croustillant et doré.*
- *Réduisez du brocoli cuit vapeur en purée et mélangez à des pommes de terre en purée avec de l'ail, du fromage et de l'huile d'olive pour créer une alternative aux pommes de terre en purée traditionnelles, ou utilisez-le comme trempette, ou encore versez sur des tortillas ou du pain pita. Ajoutez des tranches de poulet cuit, du thon ou des crevettes.*
- *Les tiges de brocoli (tant qu'elles sont jeunes et fraîches) ont un goût aussi bon que les fleurs et sont souvent aussi faciles à incorporer à des plats tels la salade de chou. Râpez les tiges de brocoli et combinez-les à des carottes et du chou blanc râpés, puis mélangez des ciboules, de la mayonnaise et du jus de citron.*
- *Le brocoli sauté conserve son croquant si délicieux et se mêle bien à une sauce aux haricots noirs ou à un jet de sauce soja.*

BEIGNETS AU BROCOLI ET AU PARMESAN

Ces légers beignets fromagés incorporent des morceaux de brocoli finement coupés et des grains de maïs sucré. Ils se préparent rapidement et peuvent s'accommoder du maïs en conserve même si le maïs frais en épi est idéal ! Vous n'avez qu'à retirer les grains de l'épi avec un couteau coupant. Servez avec des bâtonnets de carottes et de poivrons pour augmenter l'apport en légumes.

POUR 12 BEIGNETS

- 250 g/9 oz de fleurs de brocoli avec les tiges
- 200 g/7 oz de maïs sucré en conserve sans sel ni sucre ajouté, bien égoutté
- 55 g/2 oz de fromage parmesan fraîchement râpé
- 2 œufs battus
- 4 c. à soupe de farine non blanchie
- huile de tournesol, pour la friture
- sel et poivre

1 Cuisez le brocoli à la vapeur pendant 3 minutes, jusqu'à ce qu'il soit tendre, égouttez bien et coupez finement les fleurs et les tiges. Laissez refroidir.

2 Mélangez le brocoli avec le maïs sucré, le parmesan, les œufs et la farine dans un bol ; assaisonnez légèrement, au goût.

3 Faites chauffer suffisamment d'huile pour recouvrir le fond d'un poêlon à frire à fond épais. Ajoutez 2 c. à soupe combles du mélange pour chaque beignet et faites-en cuire trois à la fois. Faites cuire pendant 2 à 3 minutes de chaque côté, jusqu'à ce qu'ils se raffermissent et deviennent dorés. Égouttez sur du papier essuie-tout et gardez au chaud pendant que vous faites cuire les trois autres.

PÂTES « HULK »

Dire aux enfants que bien manger les fera grandir et les rendra forts est souvent très efficace, surtout auprès des garçons ! Même si je n'aime pas qu'on utilise des personnages de dessins animés pour vendre aux enfants des aliments sucrés et gras, l'astuce peut être transformée à notre avantage... Ce plat de pâtes propose une sauce au pesto frais, mais vous pouvez aussi en utiliser une du commerce. Les petites fleurs de brocoli se cachent très bien dans les pâtes !

POUR 4

Pour le pesto :
- 55 g/2 oz de basilic frais
- 2 gousses d'ail finement hachées
- 40 g/1½ oz de noix de pin
- 125 ml/4 oz liq. d'huile d'olive
- 4 c. à soupe de fromage parmesan fraîchement râpé
- sel et poivre

Pour les pâtes :
- 300 g/10½ oz de tagliatelles
- 175 g/6 oz de haricots cannel-linos en conserve sans sel ni sucre ajouté, bien égouttés
- 225 g/8 oz de brocoli, coupé en petites fleurs
- 2 c. à soupe de noix de pin, légèrement grillées
- 2 c. à soupe de fromage parmesan fraîchement râpé

1 Pour faire le pesto, déposez le basilic, l'ail et les noix de pin dans un mélangeur ou un robot alimentaire et hachez finement. Ajoutez progressivement l'huile, suivie du parmesan, pour créer une purée brute. Assaisonnez au goût.

2 Faites cuire les pâtes selon les instructions de l'emballage. Ajoutez les haricots 1 minute avant la fin de la cuisson et réchauffez-les

bien. Égouttez et réservez 3 c. à soupe d'eau de cuisson. Remettez les pâtes et les haricots dans le poêlon.

3 Pendant ce temps, cuisez le brocoli à la vapeur pendant 4 à 5 minutes ou jusqu'à tendreté.

4 Ajoutez le brocoli aux pâtes. Mélangez le pesto et l'eau de cuisson réservée, puis assaisonnez. Saupoudrez de noix de pin et de parmesan.

Épinards splendides

Popeye qui engloutissait des boîtes complètes d'épinards pour devenir très fort a exercé une belle influence pour l'image santé de ce légume. Malheureusement, les épinards ne contiennent pas de grandes quantités de fer dans une forme utilisable, mais sont une source riche de substances végétales naturelles, de phytonutriments, de caroténoïdes, d'acide folique et de vitamine C. Ils contiennent environ quatre fois plus de bêta-carotène que le brocoli.

Bien des enfants n'aiment pas leur texture et leur amertume lorsqu'ils sont cuits. Les bébés épinards crus sont l'une des feuilles à salade les plus nutritives et ont une saveur plus délicate que lorsqu'ils sont cuits. J'ai récemment découvert les avantages des épinards coupés congelés qui sont présentés en petits blocs pratiques. Pendant le processus de congélation, les épinards semblent perdre leur amertume. De plus, aucune préparation n'est nécessaire. Je réussis facilement à en ajouter un bloc ou deux aux sauces pour pâtes, aux plats de riz, aux nouilles sautées et aux caris sans que personne ne proteste. Il vous reste à déterminer la quantité que vous pouvez faire passer inaperçue...

UNE PORTION
Une poignée de
feuilles ou
2 c. à soupe

Maximisez les nutriments

Les épinards crus remportent la palme lorsqu'il est question de préserver les quantités de vitamines C et B. Toutefois, lorsqu'ils sont légèrement cuits, sautés ou cuits vapeur, la lutéine antioxydante, le bêta-carotène et les protéines peuvent être convertis en une forme plus facilement assimilable. Le corps absorbera davantage de fer des épinards s'ils sont servis avec un aliment riche en vitamine C comme la tomate ou un verre de jus d'orange. Conservez-les jusqu'à 3 jours au réfrigérateur.

COMMENT EN MANGER PLUS...

- *Pour faire des mini œufs florentine, cuisez à la vapeur 250 g/9 oz de jeunes feuilles d'épinards. Éliminez le surplus d'eau. Coupez finement les épinards et mélangez avec 4 c. à soupe de crème fraîche et un peu de muscade râpée. Assaisonnez et déposez le mélange dans 4 ramequins. Cassez un œuf dans chaque ramequin et saupoudrez de fromage cheddar râpé. Faites cuire au four pendant 10 minutes à 180 °C/350 °F.*
- *Ajoutez des épinards vapeur finement hachés à du pesto.*
- *Mélangez une purée d'épinards avec de la pâte à pain.*
- *Combinez des feuilles de bébés épinards à d'autres laitues dans une salade, par exemple du cresson ou de la romaine, avec des tranches d'avocat, du bacon grillé et des poires pour créer une salade saine et vivifiante.*

GNOCCHIS FLORENTINE CUITS

J'utilise des épinards congelés cou-pés pour préparer ce plat réconfortant, même si je peux prendre des feuilles crues déchiquetées. La sauce aux tomates et au fromage éliminera toute trace d'amertume du légume.

POUR 4

- 650 g/1 lb 7 oz de gnocchis aux pommes de terre
- 100 g/3½ oz d'épinards congelés coupés, décongelés
- 150 g/5½ oz de fromage mozzarella en cubes
- 55 g/2 oz de fromage parmesan râpé
- sel et poivre

Pour la sauce aux tomates :
- 1 c. à soupe d'huile d'olive
- 1 gros oignon coupé
- 1 gousse d'ail finement hachée
- 1 c. à thé d'origan séché
- 1 verre de vin blanc sec (optionnel)
- 700 g/1 lb 9 oz de passata (sauce tomate en boîte)
- 1 c. à soupe de pâte de tomates
- pincée de sucre

1 Préchauffez le four à 180 °C/ 350 °F.

2 Pour réaliser la sauce aux toma-tes, chauffez l'huile dans un grand poêlon à fond épais et fai-tes frire l'oignon sur un feu doux à moyen pendant 10 minutes jus-qu'à ce qu'il ramollisse. Ajoutez l'ail et l'origan, et cuisez pendant une minute de plus, puis ajoutez le vin, le cas échéant. Augmentez l'intensité du feu et cuisez jusqu'à ce que le vin se soit presque complètement évaporé.

3 Ajoutez la passata, la pâte de tomates et le sucre, puis cuisez sur un feu d'intensité faible à moyenne pendant environ 10 minutes, jus-qu'à ce que le contenu réduise et épaississe. Assaisonnez au goût.

4 Faites cuire les gnocchis dans une eau bouillante salée pendant 1½ minute.

5 Égouttez bien les gnocchis et ajoutez-les à la sauce tomate avec les épinards. Mélangez doucement jusqu'à ce que tous les ingrédients soient bien mélangés et transférez dans un plat allant au four. Saupoudrez le fromage mozzarella et terminez avec le parmesan, puis cuisez pendant 20 à 25 minutes jusqu'à obten-tion d'une couleur dorée.

Le pouvoir des pois

Les pois sont un des rares légumes dont le goût est aussi intéressant congelé que frais. De plus, les pois congelés sont souvent plus riches en nutriments. C'est parce que la congélation est réalisée très peu de temps après la cueillette, ce qui garantit une fraîcheur et des niveaux de nutriments optimaux, ceux-ci diminuant rapidement si les pois sont conservés trop longtemps. Toutefois, les pois sont blanchis avant d'être congelés, et ce processus réduit le contenu en vitamine C et en thiamine. Choisissez des petits pois qui ont une saveur sucrée délicate et une peau tendre.

Si vous êtes en mesure de trouver des pois frais réellement frais, demandez aux enfants de vous aider à les écosser. C'est un bon moyen d'impliquer les enfants dans la cuisine – ce qui leur fera découvrir que les pois frais crus sont également très bons !

UNE PORTION
2 à 3 c. à soupe

Les pois procurent une bonne source de protéines et de fer - ils sont donc un choix éclairé pour les végétariens et les végétaliens, ainsi que de thiamine (vitamine B_1), de folates, de vitamine C, de phosphore et de potassium.

Maximisez les nutriments

Les pois légèrement cuits à la vapeur ou au four à micro-ondes contiennent une concentration plus élevée de nutriments que les pois bouillis, puisque ces méthodes de cuisson contribuent à préserver les vitamines B hydro-solubles et la vitamine C si sensible à la chaleur. Lorsque vous achetez des pois congelés, vérifiez la date de péremption sur l'emballage et tâtez-le pour vous assurer que les pois ne sont pas agglutinés, puisque cela indiquerait qu'ils ont probablement été décongelés puis recongelés, ce qui résulterait en une perte de vitamine C et constituerait un risque pour la santé.

COMMENT EN MANGER PLUS...

- *La purée de pois est un accompagnement nutritif aux saucisses, au poisson et aux burgers. Parfumez les pois avec des oignons frits et de la menthe, et réduisez en purée au mélangeur avec une cuillère de crème.*
- *Pour obtenir une succulente soupe aux pois, tout ce dont vous avez besoin est un sac de pois congelés, des oignons en morceaux, du céleri, des carottes, une feuille de laurier et du bouillon de légumes. Lorsque les légumes sont cuits, passez au mélangeur. Ajoutez du lait ou de la crème si vous souhaitez une crème plutôt qu'un potage.*
- *Ajoutez des pois cuits au risotto ou aux sauces pour pâtes faites à partir d'ail, de fromage à la crème aux herbes et de bacon grillé.*
- *Ajoutez des pois cuits en purée dans votre guacamole maison ou du commerce.*

PÂTÉ ÉTOILE DE MER AUX POIS

La pâte feuilletée ajoute une touche originale à ce pâté au poisson classique, mais vous pourriez aussi le recouvrir d'une purée de pommes de terre. Des œufs cuits dur et des crevettes peuvent être ajoutés à la sauce.

POUR 4 À 6

- 1 c. à soupe d'huile d'olive
- 2 poireaux finement tranchés
- 1 grosse carotte finement coupée
- 150 g/5½ oz de petits pois congelés
- 2 c. à soupe de farine tout usage, un peu plus pour enfariner
- 568 ml/2 tasses de lait chaud
- 2 c. à thé de moutarde de Dijon
- 2 c. à soupe de persil fraîchement haché (optionnel)
- jus de citron frais
- 85 g/3 oz de fromage cheddar vieilli râpé
- 450 g/1 lb d'aiglefin fumé non teint, sans peau ni arêtes, coupé en morceaux
- 300 g/10½ oz de filet de morue, sans peau ni arêtes, coupé en morceaux
- 1 feuille de pâte feuilletée prête à rouler, décongelée si congelée
- 1 œuf battu
- sel et poivre

1 Préchauffez le four à 200 °C/ 400 °F. Faites chauffer l'huile dans un grand poêlon à fond épais et faites revenir les poireaux pendant 5 minutes, jusqu'à ce qu'ils ramollissent. Ajoutez la carotte et cuisez pendant 3 minutes de plus, puis ajoutez les pois.

2 Ajoutez la farine et mélangez sans arrêt pendant environ 2 minutes, jusqu'à ce que les légumes soient recouverts, puis ajoutez progressivement le lait, en mélangeant bien entre chaque ajout, jusqu'à obtention d'une sauce blanche épaisse et lisse. Mélangez la moutarde, le persil (si vous

en utilisez) et le jus de citron, puis ajoutez le fromage et mélangez bien jusqu'à ce qu'il soit fondu. Assaisonnez au goût en vous assurant de ne pas trop saler puisque l'aiglefin l'est déjà suffisamment.

3 Placez l'aiglefin et la morue dans un grand plat allant au four. Versez la sauce aux légumes sur le poisson jusqu'à ce qu'il soit également recouvert et mélangez doucement.

4 Placez la pâte sur une surface de travail légèrement enfarinée. À l'aide d'emporte-pièce, découpez des formes de poissons et d'étoiles de mer puis disposez-les sur le pâté au poisson. Badigeonnez les formes en pâte avec l'œuf battu et faites cuire pendant environ 25 minutes, jusqu'à ce que le poisson soit bien cuit et que les formes en pâte aient gonflé et doré.

Chou-fleur croquant

Je dois admettre que je n'achète pas de chou-fleur régulièrement mais que depuis que j'ai expérimenté certaines idées nouvelles, je suis agréablement surprise de sa polyvalence et de sa capacité à fusionner sa saveur aux autres, sans compter qu'il est très nutritif. Plonger des fleurs de chou-fleur dans une sauce fromagée est une option populaire, mais le chou-fleur est aussi bon lorsqu'il est assaisonné avec des épices dans un cari, combiné à d'autres légumes dans un ragoût, réduit en purée comme accompagnement ou dans une soupe, dans des salades avec une vinaigrette légère et cru avec des trempettes.

UNE PORTION
Une poignée ou
1 fleur de taille
moyenne

Comme les autres légumes crucifères, le chou-fleur a un goût légèrement amer, que les enfants reconnaissent plus facilement en raison de leur palais plus sensible. Les produits laitiers tels le fromage et le lait adouciront l'amertume, ce qui explique la popularité du chou-fleur gratiné au fromage. Le chou-fleur contient également des substances sulfureuses, d'où son odeur désagréable pendant la cuisson. La cuisson à la vapeur dans un poêlon couvert peut créer une accumulation de soufre et teinter le goût. Il est donc préférable de le faire bouillir dans une quantité d'eau minimale jusqu'à ce que les fleurs soient tendres. Vous éviterez ainsi l'accumulation de soufre et de perdre trop de nutriments.

En fait, deux éléments jouent en faveur du chou-fleur : sa forme et le fait qu'il n'est pas vert ! D'ailleurs, l'astuce du petit arbre qui fonctionne si bien avec le brocoli peut être utilisée avec le chou-fleur (pensez à des arbres recouverts de neige !).

Maximisez les nutriments

Le chou-fleur est une riche source de nutriments, et comme tous les autres légumes crucifères, il a plusieurs propriétés anticancérogènes. Celles-ci sont maximisées lorsque le légume est servi cru, cuit au four à micro-ondes, sauté ou légèrement cuit. N'oubliez pas les tiges qui contiennent aussi des nutriments importants. Évitez les choux-fleurs qui ont des taches noires ou des feuilles jaunâtres et réfrigérez-le jusqu'à 3 jours.

BOUCHÉES DE LÉGUMES FROMAGÉES

Les fleurs du chou-fleur et du brocoli ainsi que les bâtonnets de carottes sont trempés dans une pâte à frire légèrement fromagée et frits pour créer des bouchées de légumes croustillantes – idéales comme accompagnement ou comme plat principal si servies avec une salsa aux tomates et une salade. Les champignons, les aubergines, les zucchinis et les oignons peuvent aussi être utilisés.

POUR 4

- 325 g/11½ oz de fleurs de chou-fleur et de brocoli
- 2 grosses carottes coupées en gros bâtonnets
- huile de tournesol, pour la friture

Pour la pâte à frire au fromage :
- 50 g/1¾ oz de farine tout usage tamisée
- 50 g/1¾ oz de parmesan finement râpé
- 150 ml/5 oz liq. de lait
- 1 œuf battu
- sel

1 Dans un bol, mélangez les ingrédients de la pâte à frire au fromage. Assaisonnez avec le sel et réservez.

2 Cuisez à la vapeur le chou-fleur, le brocoli et les carottes pendant environ 3 minutes, jusqu'à tendreté. Refroidissez sous l'eau froide, égouttez et laissez légèrement refroidir.

3 Faites chauffer beaucoup d'huile dans un poêlon profond. Trempez les légumes dans la pâte et faites frire, à raison de quelques morceaux à la fois, pendant environ 2 à 3 minutes, jusqu'à ce qu'ils deviennent dorés. Égouttez sur du papier essuie-tout avant de servir.

▼

COMMENT EN MANGER PLUS...

- *Cuisez à la vapeur 225 g/8 oz de chou-fleur jusqu'à tendreté. Faites revenir un petit oignon et une gousse d'ail jusqu'à ce qu'ils ramollissent. Réduisez le chou-fleur, l'oignon et l'ail en purée avec 175 ml/6 oz liq. de bouillon de légumes et 2 c. à soupe de crème fraîche, puis assaisonnez. Combinez cette purée à une purée de pommes de terre traditionnelle ou servez seule comme accompagnement pour la viande ou le poisson.*
- *Suivez la recette des beignets au brocoli (voir page 80), mais utilisez plutôt du chou-fleur. Vous pouvez aussi ajouter une poignée de riz cuit froid pour donner de la consistance au mélange.*
- *Pour augmenter le contenu en légumes d'un chou-fleur gratiné au fromage, ajoutez des poireaux, du brocoli et des carottes légèrement cuits à la vapeur à la sauce, et recouvrez de tomates tranchées et de chapelure avant de faire cuire.*

Oui, mon chou !

Membres de la famille des crucifères, le chou et les choux de Bruxelles remportent sans conteste la palme des légumes les moins aimés. Et c'est bien injuste car bien apprêtés, ils peuvent être délicieux – je vous assure ! Je suis convaincue qu'une grande part du dédain qu'on éprouve pour eux est l'œuvre d'un préjugé ou de barrières érigées par des parents qui se souviennent de les avoir mangés trop cuits et mous lorsqu'ils étaient enfants. C'est bien plus facile de ne pas essayer de servir du chou et des choux de Bruxelles aux enfants en se disant qu'ils ne les aimeront pas…

Par contre, il existe une bonne raison scientifique pour laquelle les jeunes enfants lèvent le nez sur ces légumes. Tout comme le brocoli, le chou et les choux de Bruxelles sont légèrement amers, et cette amertume est rehaussée par les papilles des enfants particulièrement sensibles à de telles saveurs.

Personnellement, je préfère le chou blanc ou rouge, servi cru et râpé dans une salade de chou, ou finement râpé et légèrement cuit dans un sauté. Un peu de sauce soja ou de sauce aux haricots noirs aidera à les camoufler. Vous pouvez aussi ajouter

du chou finement haché dans les pommes de terre en purée ou en ajouter aux garnitures de pâtés ou dans les ragoûts.

Les enfants raffolent ou détestent les choux de Bruxelles. Ils ressemblent à des choux miniatures et, comme leurs grands frères, ils sont meilleurs légèrement cuits, râpés dans des sautés ou bien camouflés dans des sauces.

Combiner les choux de Bruxelles ou le chou à des légumes plus sucrés comme les carottes, les patates sucrées, le maïs sucré et les poivrons rouges aidera à contrecarrer l'amertume, tout comme les faire cuire avec des produits laitiers, par exemple avec une sauce au fromage, des macaronis et d'autres légumes.

Fait rassurant, une portion est aussi petite que deux cuillères à soupe. Il n'est donc pas nécessaire de faire une montagne dans l'assiette de vos enfants.

En leur faveur, disons que le chou et les choux de Bruxelles contiennent une montagne de vitamines et de minéraux, et qu'ils détiennent des propriétés anticancérogènes et antioxydantes. Encore plus surprenant, les choux de Bruxelles contiennent quatre fois plus de vitamine C que le chou.

UNE PORTION
2 c. à soupe

Oui, mon chou !

Maximisez les nutriments

Le chou et les choux de Bruxelles doivent être manipulés avec soin pour préserver leurs nutriments. Plus de la moitié de leur contenu en vitamine C est perdu lorsqu'ils sont bouillis, alors qu'on en conserve un peu plus lors de la cuisson vapeur ou au micro-ondes. Les feuilles extérieures vert foncé du chou de Savoie sont plus nutritives que les feuilles plus pâles du centre. Mais le chou est meilleur cru. Et de nombreuses études ont souligné les propriétés antivirales et antibactériennes du chou. Si vous faites bouillir vos légumes, une goutte d'huile d'olive dans l'eau de cuisson augmenterait la biodisponibilité du bêta-carotène. Et ne jetez pas l'eau de cuisson, elle deviendra une base nutritive pour un bouillon de légumes.

▼ COMMENT EN MANGER PLUS...

- Faites sauter des choux de Bruxelles coupés en deux dans de l'huile d'olive, puis saupoudrez de chapelure et de fromage parmesan râpé.
- Le chou de Savoie finement haché peut être cuit dans un papier aluminium avec un peu de beurre et des graines de carvi
- Le beurre à l'ail se marie bien avec les choux de Bruxelles et le chou.
- Coupez et cuisez à la vapeur du chou ou des choux de Bruxelles finement hachés et ajoutez-les à des pommes de terre en purée avec des oignons d'hiver sautés.
- Faites sauter du chou ou des choux de Bruxelles hachés avec de l'ail, du gingembre, des poivrons rouges, des oignons d'hiver et des carottes. Ajoutez du jus de pomme frais et un soupçon de sauce soja.
- Ajoutez du chou finement haché ou des choux de Bruxelles aux röstis ou aux galettes de pommes de terre.
- Les feuilles de chou constituent une enveloppe parfaite pour le riz, le poisson ou les autres légumes.
- Ajoutez du chou blanc ou rouge finement haché aux boulettes de viande, aux burgers ou aux mélanges de noix grillées.

TOURNESOLS CROUSTILLANTS

*La salade de chou maison croustil-
lante constitue le centre de ces ma-
gnifiques tournesols. Voici un repas
léger ou une collation parfaite.*

POUR 4

- 1 c. à thé de graines de tournesol
- 1 pomme rouge pelée et râpée
- ½ c. à soupe de jus de citron
- 55 g/2 oz de chou blanc râpé
- 1 grosse carotte râpée
- 1 ciboule finement coupée
- 55 g/2 oz de fromage cheddar
  en cubes

Pour la vinaigrette :
- 1 c. à soupe d'huile d'olive extra
  vierge
- ½ c. à soupe de jus de citron
- 2 c. à soupe de mayonnaise

Pour servir :
tortillas légèrement salées, longs
bâtonnets de concombre et pois
mange-tout

1 Faites griller les graines de tournesol dans un poêlon jusqu'à ce
qu'elles soient légèrement dorées.
Laissez refroidir.

2 Mélangez la pomme avec du jus
de citron pour l'empêcher de
brunir. Dans un bol,
mélangez la pomme
avec le chou, les
carottes, les ciboules et
le fromage.

3 Pour faire la vinaigrette, mélangez ensemble l'huile et le jus de
citron, puis ajoutez la mayonnaise et mélangez bien. Versez
sur la salade de chou.

4 Disposez un monticule rond de
salade de chou au centre de quatre assiettes, puis saupoudrez de
graines de tournesol. Placez les
tortillas autour de la salade de
chou comme des pétales de fleur,
ajoutez les bâtonnets de concombre pour constituer la tige et les
pois mange-tout pour les feuilles.

CROUSTADE CROQUANTE AUX LÉGUMES

*Cette garniture de croustade cro-
quante fromagée dissimule une
multitude de légumes finement coupés. J'aime servir ce plat dans des
assiettes individuelles mais on peut
aussi l'apprêter dans un grand plat
allant au four. La garniture, une
fois passée au mélangeur, devient
une excellente purée pour bébés.
Servez avec des pois mange-tout
cuits à la vapeur.*

POUR 4 À 6

- 1 c. à soupe d'huile d'olive
- 450 g/1 lb de pommes de terre,
  les plus grosses coupées en
  quartiers
- 1 gros oignon finement coupé
- 1 poivron rouge épépiné et
  finement coupé
- 1 gousse d'ail finement hachée
- 1 c. à thé d'un mélange d'herbes
  séchées
- 200 g/7 oz de chou de Savoie
  ou de choux de Bruxelles,
  finement coupés
- 1 gros panais pelé et râpé
- 1 grosse carotte pelée et râpée

- 400 ml/14 oz liq. de bouillon de
  légumes
- 200 ml/7 oz liq. de lait
- sel et poivre

Pour la croustade :
- 100 g/3½ oz de farine tout usage
- 2 c. à thé de moutarde en poudre
- 85 g/3 oz de beurre non salé
  froid coupé en dés
- 85 g/3 oz de noix du Brésil
  finement coupées
- 100 g/3½ oz de cheddar râpé

1 Préchauffez le four à 180 °C/
375 °F. Faites bouillir les pommes
de terre dans beaucoup d'eau
salée et cuire jusqu'à tendreté.
Égouttez et pelez, puis réservez.

2 Chauffez l'huile dans un grand
poêlon à fond épais et faites sauter l'oignon sur un feu d'intensité
moyenne pendant 8 minutes.
Ajoutez le poivron, l'ail et les
herbes mélangées, et cuisez
pendant 2 minutes de plus.

3 Ajoutez le chou ou les choux de
Bruxelles, le panais, les carottes et
les pommes de terre cuites, puis
cuisez en mélangeant fréquemment
pendant 5 minutes. Versez
le bouillon et le lait, assaisonnez puis chauffez.
Vous pouvez passer
doucement au mélangeur
à ce stade si vous
souhaitez une garniture plus
lisse. Divisez le mélange dans
6 grands ramequins ou moules.

4 Pour faire la croustade, mélangez
ensemble la farine et la moutarde
en poudre, puis ajoutez le beurre
avec le bout de vos doigts jusqu'à
ce que le mélange forme de grosses miettes, avec certains
morceaux plus gros. Ajoutez les
noix et le fromage.

5 Saupoudrez la croustade sur la
garniture, puis cuisez pendant
20 minutes jusqu'à ce que la
surface soit légèrement dorée et
croustillante.

Fèves et haricots

Les haricots comme les pois mange-tout sont à leur meilleur lorsqu'ils sont légèrement cuits, ou encore mieux lorsqu'ils sont crus, lorsqu'on les mange entiers.

Les haricots verts, les haricots d'Espagne et les haricots nains doivent être cuits (à moins de les cueillir très jeunes en saison) jusqu'à tendreté. Un soupçon de jus de citron, d'huile d'olive ou de beurre (encore mieux, de beurre à l'ail) ajoutera un intérêt supplémentaire.

Lorsqu'elles sont jeunes et fraîches, les gourganes sont aussi sucrées que délicates. Cuisez-les à la vapeur ou faites-les bouillir dans un peu d'eau jusqu'à tendreté. Les fèves plus âgées ont une peau plus coriace, que l'on enlève de préférence, qui abrite une fève d'un vert vibrant avec une texture douce.

Les fèves et les haricots disposent d'une vaste gamme de nutriments, incluant des vitamines C et E, du bêta-carotène, du fer, de la thiamine, des folates, du phosphore et du potassium.

Maximisez les nutriments

Recherchez des légumes frais, d'un vert brillant et bien remplis pour obtenir le maximum de nutriments. Légèrement cuits à la vapeur, au micro-ondes ou sautés, ils seront à leur meilleur,

UNE PORTION
2 à 3 c. à soupe

puisque les faire bouillir leur fait perdre de la vitamine C. Les fèves et les haricots crus contiennent plus de nutriments, alors que la cuisson augmente la disponibilité des protéines et des fibres. Les gourganes conservent la majorité de leurs nutriments lorsqu'ils sont congelées. La mise en conserve réduit leur contenu en vitamine C. Les fèves et les haricots frais se conservent jusqu'à deux jours au congélateur.

COMMENT EN MANGER PLUS...

- *Transformez les gourganes cuites en une délicieuse trempette. Combinez les gourganes et de l'ail haché, de l'huile d'olive, de la menthe finement hachée et du jus de citron, et passez au mélangeur jusqu'à obtention d'une consistance crémeuse. Vous pouvez aussi les réduire en purée et les ajouter à une guacamole.*
- *Faites sauter des pois mange-tout, du poivron jaune, des bâtonnets de carottes et des languettes de poulet dans une sauce hoisin. Servez enrobé dans une omelette.*
- *Au lieu des kebabs de saumon (page ci-contre), écrasez du riz au centre d'une assiette et disposez des languettes d'omelette tout autour pour créer un soleil qui brille de tous ses rayons.*

RIZ CHINOIS AVEC KEBABS AU SAUMON

Le miel offre à ces kebabs au saumon un délicieux enrobage lustré. Faites attention lorsque vous les servez aux jeunes enfants. Trempez les brochettes de bois dans l'eau pendant 30 minutes pour qu'elles ne brûlent pas pendant la cuisson.

POUR 4

- 4 filets de saumon, d'environ 500 g/1 lb 2 oz au total, sans peau et coupés en cubes de 2 cm/¾ po
- 250 g/9 oz de riz brun
- 600 ml/20 oz liq. d'eau
- 1 c. à soupe d'huile de tournesol
- 1 c. à soupe d'huile de sésame grillée
- 2 gousses d'ail finement hachées
- 2,5 cm/1 cm de gingembre frais, pelé et râpé
- 1 gros poivron rouge épépiné et finement tranché
- 8 épis de maïs miniatures, coupés en tranches
- 200 g/7 oz de pois mange-tout
- 2 c. à soupe de sauce soja
- 3 c. à soupe de jus de pomme frais

Pour la marinade :
- 2 c. à soupe de miel
- 2 c. à soupe de sauce soja
- 2 c. à soupe d'huile de tournesol
- 1 c. à thé d'huile de sésame grillée

1 Dans un plat peu profond, mélangez les ingrédients de la marinade. Ajoutez le saumon et mélangez jusqu'à ce que le poisson soit entièrement recouvert. Laissez mariner pendant environ une heure, en retournant les filets à l'occasion. Divisez le saumon pour les 8 brochettes.

2 Déposez le riz dans un poêlon et recouvrez d'environ 2 cm/¾ po d'eau. Amenez à ébullition, réduisez le feu, couvrez et poursuivez la cuisson à feu doux pendant environ 30 minutes, jusqu'à ce que l'eau ait été absorbée et que le riz soit tendre. Retirez du feu et laissez reposer, à couvert, pendant 5 minutes.

3 Préchauffez le gril à intensité élevée. Pendant ce temps, faites chauffer l'huile dans un poêlon à fond épais. Ajoutez l'ail, le gingembre, le poivron rouge, le maïs et les pois mange-tout, et faites sauter pendant environ 8 minutes, en mélangeant souvent.

4 Recouvrez la grille de papier aluminium et déposez-y les brochettes. Badigeonnez le saumon de marinade et faites griller de 3 à 5 minutes en les retournant à l'occasion.

5 Ajoutez la sauce soja, le jus de pomme et le riz dans le poêlon. Vous devrez peut-être ajouter davantage de liquide. Mélangez jusqu'à ce que le riz soit bien réchauffé.

6 Divisez le riz dans 4 bols peu profonds et recouvrez des kebabs au saumon.

L'appel des aubergines

Rôties, grillées, cuites, en purée, on peut presque tout faire aux aubergines, sauf les manger crues. La réaction des enfants est mitigée par rapport aux aubergines, mais lorsque je pèle leur peau violette, elles deviennent déjà plus faciles à accepter. Leur saveur délicate leur permet d'être cuites avec des ingrédients aux goûts plus prononcés, tels les oignons, l'ail et les tomates dans une ratatouille, une moussaka ou un plat d'aubergines parmigiana. Finement coupées et cuites dans une sauce pour pâtes, cuites au four ou à l'étuvée, elles deviennent presque impossibles à discerner. Personnellement, je les préfère frites sur une plaque, grillées ou rôties puisqu'elles développent alors un goût fumé savoureux et une belle couleur dorée.

Plusieurs personnes refusent de manger des aubergines parce qu'elles ont tendance à absorber de grandes quantités d'huile pendant la cuisson. C'est vrai qu'elles semblent vraiment aimer l'huile, mais il existe des moyens de réduire au minimum la quantité d'huile requise. Certaines recettes exigent de saler les aubergines pour éliminer les jus amer et les dégorger. Même si le salage n'est pas

UNE PORTION
2 à 3 c. à soupe

essentiel, il réduit la quantité d'huile absorbée au moment de la cuisson. Si vous faites frire les aubergines, n'ajoutez pas des tonnes d'huile si elles vous semblent sèches : ajoutez quelques cuillères à soupe pour commencer (qui seront très vite absorbées), puis réduisez l'intensité et cuisez-les lentement. Au fur et à mesure qu'elles cuisent, les aubergines libèrent leur propre jus et une portion de l'huile absorbée.

Maximisez les nutriments

Recherchez des aubergines fermes dont la peau est brillante et lisse. Les plus petites aubergines ont un goût légèrement plus sucré. Par contre, un spécimen desséché avec des taches molles ou des rides trahit son âge avancé et contiendra donc moins de vitamines B et C, moins de fer, de potassium et de calcium. On dit que le froid affecte la saveur des aubergines, il est donc préférable de les conserver à la température ambiante pour un maximum de 3 à 5 jours ; en plus, elles sont très jolies dans un bol à fruits.

PARCELLES D'AUBERGINE FONDANTE

Lorsque les enfants m'ont vue la première fois alors que je préparais des tranches d'aubergine farcies au mozzarella, j'ai eu droit à un très unanime « pas question que nous mangions des aubergines ! » Heureusement, une fois le plat prêt, la réaction a été tout autre ! Ce plat s'accompagne bien d'une sauce tomate.

POUR 4

- 1 grosse aubergine pelée
- 1 boule de mozzarella tranchée
- 4 tomates mûries sur pied, finement tranchées et épépinées (optionnel)
- farine tout usage, pour enfariner
- 2 œufs battus
- sel et poivre
- miettes de pain frais séchées
- huile d'olive, pour la friture

- Préchauffez le gril à intensité moyenne-élevée et recouvrez la plaque de papier aluminium. Coupez l'aubergine en 6 tranches rondes. Blanchissez les tranches dans un peu d'eau bouillante jusqu'à tendreté, puis égouttez bien sur du papier essuie-tout.

2 Placez 1 tranche de mozzarella et 2 tranches de tomates (si vous en utilisez) entre 2 tranches d'aubergine pour faire un sandwich. Tenez le sandwich et enfarinez chaque côté avec la farine, l'œuf assaisonné et les miettes de pain jusqu'à ce qu'il soit complètement recouvert. Répétez avec les autres tranches d'aubergine.

3 Faites chauffer suffisamment d'huile pour couvrir le fond d'un poêlon et faites frire les parcelles 5 minutes de chaque côté, jusqu'à ce qu'elles deviennent dorées et croustillantes. Égouttez sur du papier essuie-tout avant de servir.

▼

COMMENT EN MANGER PLUS...

- *Ce classique italien est un des plats favoris chez moi : préparez une sauce tomate (voir page 102). Pendant ce temps, faites griller des tranches d'aubergine légèrement huilées jusqu'à ce qu'elles soient dorées. Versez la sauce tomate dans un plat allant au four, recouvrez de tranches d'aubergine et de tranches de mozzarella. Saupoudrez de fromage parmesan et cuisez au four pendant environ 30 à 40 minutes, jusqu'à ce que le fromage soit doré.*
- *Pour créer une trempette savoureuse et légèrement piquante, à l'aide d'une fourchette, piquez une aubergine et faites-la cuire au four à 200 °C/400 °F, jusqu'à ce que le cœur soit tendre, soit environ 35 à 40 minutes. Coupez l'aubergine en deux sur la longueur et retirez la chair à la cuillère pour la déposer dans un robot culinaire ou un mélangeur. Ajoutez une gousse d'ail finement coupée, 1 c. à thé de cumin et de coriandre moulus, beaucoup de jus de citron, sel et poivre, et réduisez en purée jusqu'à obtention d'une consistance lisse et crémeuse.*

Méli-mélo de champignons

Les Romains servaient des champignons à leurs soldats, croyant qu'ils leur donnaient beaucoup de force – un argument qui est toujours vendeur avec les garçons...

Une façon d'encourager l'intérêt d'un enfant pour un aliment est de lui montrer d'où il vient. Cueillir des champignons sauvages en forêt est toujours très agréable, mais il importe de faire d'abord méticuleusement vos devoirs afin de cueillir les bonnes variétés. Armez-vous donc d'un bon guide sur les champignons et soyez prudent. Et n'oubliez pas que rien n'est plus valorisant pour l'enfant que de découvrir de la nourriture gratuite !

Les champignons ajoutent une texture charnue et de la substance aux soupes, ragoûts, plats cuits au four et pâtés. Si vos enfants n'apprécient pas leur texture (plusieurs les trouvent visqueux), essayez de les faire frire, coupés en tranches, avec un peu d'huile d'olive et de beurre sur un feu d'intensité moyenne-élevée, en les retournant souvent, jusqu'à ce qu'ils deviennent croustillants.

Dans les médecines naturelles, les champignons sont vénérés pour leurs qualités thérapeutiques contre le cancer, les maladies cardiaques et les infections virales. En Asie, les shiitakes sont recommandés pour une vie longue et saine. Les champignons constituent une source valable de sélénium, de potassium, de fer et de plusieurs vitamines B.

UNE PORTION
2 c. à soupe

Maximisez les nutriments

Puisque les vitamines B sont hydrosolubles, il est préférable de ne pas faire tremper ou de ne pas laver les champignons frais ; ils ont aussi tendance à absorber l'eau. Il n'est pas non plus nécessaire de les peler ; essuyez tout simplement les champignons avec un papier essuie-tout humide et coupez le bout des queues. Les champignons se conservent jusqu'à 3 jours au réfrigérateur, dans un sac de papier – le plastique les fait transpirer.

COMMENT EN MANGER PLUS...

- *Ajoutez des champignons finement coupés aux burgers maison pour préserver leur humidité.*
- *Faites revenir des quartiers de champignons et de l'origan séché dans un peu de beurre, puis ajoutez quelques cuillères de crème fraîche. Déposez sur une tranche de pain légèrement grillée, saupoudrez de fromage cheddar râpé et faites griller jusqu'à ce que le fromage soit fondu.*
- *Essayez de faire cuire les champignons dans une papillote de papier aluminium avec un peu de beurre ou d'huile et des dés de tomates fraîches. Ouvrez la papillote lorsque les champignons sont tendres et recouvrez d'une tranche de mozzarella. Remettez la papillote au four et cuisez jusqu'à ce que le fromage soit fondu.*

LUNES DORÉES

Vous pouvez varier les légumes que vous utilisez dans ces petits chaussons, selon ce que vous avez sous la main. S'il vous reste de la garniture, vous n'avez qu'à la congeler pour usage ultérieur.

2-3

POUR 8 CHAUSSONS

- 1 c. à soupe d'huile d'olive
- 1 gros oignon finement coupé
- 200 g/7 oz de boeuf haché maigre ou d'un équivalent végétarien
- 1 grosse gousse d'ail finement hachée
- 1 c. à thé de thym séché
- 1 grosse carotte râpée
- 100 g/3½ oz de champignons bruns très finement coupés
- 55 g/2 oz de chou blanc râpé
- 2 c. à thé de sauce Worcestershire
- 1 c. à thé de moutarde de Dijon
- 1 c. à soupe de pâte de tomates
- 250 ml/9 oz liq. de tomates en dés en conserve
- sel et poivre

- 500 g/1 lb 2 oz de pâte feuilletée décongelée
- farine, pour enfariner
- 1 œuf battu pour dorer

1 Faites chauffer l'huile dans un poêlon à fond épais et faites revenir l'oignon pendant 8 minutes jusqu'à ce qu'il ramollisse. Ajoutez la viande, en mélangeant pour la briser en morceaux, pour la faire brunir. (Si vous utilisez un équivalent végétarien, ajoutez-le après le chou.) Ajoutez l'ail, le thym, les carottes, les champignons et le chou, puis cuisez en mélangeant pendant 5 minutes.

2 Préchauffez le four à 200 °C/ 400 °F. Ajoutez la sauce Worcestershire, la moutarde, la pâte de tomates et les tomates, assaisonnez et amenez à ébullition. Réduisez l'intensité du feu et cuisez à feu doux pendant 10 minutes, jusqu'à ce que la sauce réduise et épaississe.

3 Roulez la pâte sur une surface enfarinée et coupez en 8 carrés de 13 cm (5 po). Badigeonnez les extrémités d'œuf battu, puis déposez une cuillère de garniture sur une moitié du carré en laissant de l'espace tout autour. Repliez la pâte pour enfermer la garniture et ainsi former un triangle. Écrasez le contour à la fourchette pour bien sceller et repliez les coins pour former un croissant. Piquez le dessus à la fourchette et badigeonnez avec l'œuf.

4 Placez les chaussons sur une plaque de cuisson légèrement graissée et faites cuire pendant 18 à 20 minutes, jusqu'à ce qu'ils soient dorés.

Géniaux poivrons

Grâce à leur chair juteuse, leur texture croustillante et leurs couleurs étincelantes, les poivrons doux sont parfaits lorsqu'ils sont crus. Coupez-les en languettes ou à l'emporte-pièce pour créer des formes différentes. Tout aliment qui se mange sans couteau ou fourchette est d'autant plus intéressant. Servez-les avec d'autres légumes crus et une trempette ; les enfants pourront se servir eux-mêmes et choisir ceux qu'ils préfèrent.

Les poivrons rouges sont plus sucrés que les verts puisqu'en mûrissant, ils passent du vert au jaune, au orange et au rouge. Les poivrons verts sont complètement développés mais pas totalement mûrs, ce qui explique le goût légèrement amer et pourquoi bien des gens les trouvent difficiles à digérer.

Les poivrons sont une importante source de vitamine C. Un poivron vert procure deux fois plus de vitamine C, pour le même poids, qu'une orange, alors que les poivrons rouges en contiennent trois fois plus ! Les poivrons sont également riches en bêta-carotène ; les poivrons rouges en comptent neuf fois plus que les verts.

UNE PORTION
2 à 3 c. à soupe

COMMENT EN MANGER PLUS...

- *Coupez un poivron rouge ou orange sur la longueur et retirez les graines. Déposez dans un plat de cuisson huilé et remplissez chaque moitié d'un ragoût de haricots ou de sauce bolognaise. Recouvrez le plat de papier aluminium et cuisez au four à 200 °C/400 °F pendant environ 35 minutes. Retirez le papier aluminium, saupoudrez de fromage cheddar râpé et cuisez 5 minutes de plus.*
- *Faites rôtir des morceaux de poivron rouge et de courge musquée avec des quartiers d'oignon rouge pendant environ 35 minutes. Laissez légèrement refroidir, puis réduisez en purée. Servez mélangé aux pommes de terre en purée.*

Maximisez les nutriments

Puisque la vitamine C est partiellement détruite par la chaleur, il est préférable de manger les poivrons crus. Si vous les faites cuire, faites-les griller, sauter ou griller au four plutôt que de les faire cuire à la vapeur ou à l'eau bouillante. La biodisponibilité du bêta-carotène est toutefois augmentée par une légère cuisson dans un plat qui contient un peu d'huile d'olive ou tout autre gras monoinsaturé similaire. Recherchez toujours les poivrons fermes, non ridés et brillants sans signe de décoloration.

BÂTONNETS MAGIQUES

*Ces délicieux kebabs aux légumes
sont aussi bons cuits au four, grillés
ou cuits au barbecue. Servez-les
avec des crudités et des pommes de
terre nouvelles grillées.*

POUR 16

- 1 pain à l'ail congelé
- 1 gros poivron rouge épépiné et
  coupé en 16 gros morceaux
- 16 tomates cerise
- 250 g/9 oz de fromage
  halloumi, coupé en 8 tranches, puis chaque tranche
  coupée en deux
- huile d'olive, pour
  badigeonner

1 Préchauffez le four à 200 °C/
400 °F. Faites tremper 16 brochettes de bois dans l'eau pendant
30 minutes pour qu'elles ne brûlent pas pendant la cuisson.
Décongelez partiellement le pain
à l'ail jusqu'à ce qu'il soit assez
mou pour être coupé. Coupez en
8, puis chaque tranche en deux
pour obtenir 16 morceaux.

2 Enfilez un morceau de pain à l'ail
sur chaque brochette, puis une
tomate cerise, un morceau de fromage (attention, il est très fragile),
puis un morceau de poivron.

3 Déposez les brochettes sur une
plaque de cuisson légèrement
huilée. Badigeonnez le poivron,
la tomate et les rebords du pain
d'un peu d'huile d'olive. Recouvrez avec du papier aluminium et
cuisez 5 minutes. Retirez le
papier aluminium, tournez les
kebabs et cuisez encore 5 minutes, jusqu'à ce que le poivron et
les tomates soient cuits et le pain
croustillant.

Maïs sucré ensoleillé

Ses grains tendres et sucrés en font un légume qu'on adore. Surtout quand on peut croquer dans un épi juteux coulant de beurre... Le maïs en épi doit être mangé le plus rapidement possible après la cueillette, avant que ses sucres naturels commencent à se convertir en amidon, ce qui rend sa saveur fade et ses grains plus durs. Si vous le pouvez, achetez du maïs produit localement en saison, dont les feuilles vertes extérieures sont intactes. Retirez les feuilles avant de les faire bouillir. L'épi est cuit quand les grains se détachent facilement. La cuisson au barbecue ou au gril augmente la sucrosité du maïs mais il est préférable de les blanchir d'abord pendant quelques minutes pour amollir les grains.

Le maïs en conserve est précieux en réserve, même s'il est plus faible en nutriments que le maïs frais. Choisissez du maïs en conserve sans sucre ou sel ajouté, et égouttez et rincez bien avant de l'utiliser.

Riche en glucides complexes, le maïs sucré est une bonne source de vitamines A, B et C, mais aussi de fibres. Il contient également des quantités utiles de potassium, de fer, de magnésium et de folates.

UNE PORTION
2 à 3 c. à soupe

Maximisez les nutriments

Les vitamines B hydrosolubles sont perdues pendant la cuisson à l'eau bouillante. Il est donc préférable de cuire le maïs à la vapeur ou au four à micro-ondes jusqu'à tendreté. Le maïs en conserve constitue une bonne

COMMENT EN MANGER PLUS...

- *Faites blanchir un épi pendant 5 minutes dans l'eau bouillante jusqu'à tendreté. Égouttez et ajoutez un peu de beurre et 1 c. à thé de miel dans un poêlon. Retournez l'épi dans le poêlon et cuisez pendant 4 minutes, en retournant l'épi à l'occasion, jusqu'à ce qu'il soit brillant et doré. Vous pouvez aussi cuire au barbecue ou sur une plaque à frire après avoir enduit l'épi de beurre et de miel.*
- *Pour faire des beignets de maïs sucré : à l'aide d'un pilon et d'un mortier, écrasez 225 g/8 oz de maïs sucré. Faites dorer un petit oignon coupé et laissez-le refroidir. Combinez le maïs et l'oignon avec 1 œuf et 2 c. à soupe de farine tout usage, puis assaisonnez. Chauffez de l'huile dans un poêlon et ajoutez une grosse cuillère à soupe comble du mélange dans l'huile chaude. Faites frire pendant environ 3 minutes de chaque côté, jusqu'à ce qu'il soit doré.*

source de fibres utilisables, même si le maïs congelé tend à être une meilleure source de nutriments. Les nutriments sont à leur maximum lorsque les grains frais sont bien remplis et ne montrent aucun signe de plissage ou de décoloration. Mangez-le dès que vous l'achetez. Si nécessaire, vous pourrez conserver les épis au réfrigérateur pendant quelques jours.

CHAUDRÉE DE MAÏS SUCRÉ ET D'AIGLEFIN FUMÉ

Le maïs sucré ajoute du crémeux à cette soupe réconfortante. Dans cette recette, je passe les légumes au mélangeur jusqu'à consistance lisse, ne laissant que le poisson en morceaux. Mais vous pouvez aussi garder des morceaux de légumes en réduisant la durée du passage au mélangeur. Cette soupe est servie dans un demi-pain, selon le style San Francisco traditionnel.

POUR 4

- 1 c. à soupe d'huile de tournesol
- 1 gros poireau tranché
- 1 gros poivron rouge épépiné et coupé en morceaux
- 1 branche de céleri tranchée
- 1 carotte tranchée
- 2 pommes de terre pelées et coupées en dés
- 1 feuille de laurier
- 850 ml/3½ tasses de bouillon de légumes
- 400 g/14 oz de maïs sucré en conserve sans sel ou sucre ajouté, égoutté et rincé, ou l'équivalent frais ou congelé

- 500 g/1 lb 2 oz de filet d'aiglefin fumé non teint
- 250 ml/9 oz liq. de lait
- 2 c. à soupe de crème fraîche ou de crème
- sel et poivre
- 4 petites miches rondes ou gros pains

1 Chauffez l'huile dans un grand poêlon et faites sauter le poireau sur un feu d'intensité moyenne pendant 5 minutes jusqu'à ce qu'il ramollisse. Ajoutez le poivron rouge, le céleri, la carotte, les pommes de terre et la feuille de laurier, puis cuisez en mélangeant pendant 5 minutes de plus.

2 Versez le bouillon, portez à ébullition et réduisez l'intensité du feu. Couvrez à moitié et cuisez pendant 20 minutes, en ajoutant le maïs sucré dans les 5 dernières minutes.

3 Pendant ce temps, placez l'aiglefin dans un grand poêlon peu profond et recouvrez d'eau. Amenez à ébullition, puis cuisez à feu doux pendant 6 à 8 minutes, jusqu'à ce qu'il soit cuit et opaque. Retirez délicatement le poisson et laissez-le refroidir suffisamment pour pouvoir le manipuler. Pelez la peau, retirez les arêtes et réduisez en gros flocons.

4 Versez la soupe au mélangeur ou utilisez une mixette pour réduire en purée selon la consistance souhaitée. Versez de nouveau la soupe dans le poêlon et ajoutez le lait, la crème et le poisson ; assaisonnez puis réchauffez.

5 Pour servir, découpez le dessus des pains pour créer un couvercle et enlevez la mie à l'intérieur – vous pouvez garder la mie pour tremper dans la soupe ou faire de la chapelure. Versez la soupe dans les pains et refermez avec le couvercle.

Tomates de premier choix

Les enfants adorent ou détestent les tomates. Mais tous les parents s'entendent pour dire que la sauce tomate (pas le ketchup) est un bon moyen d'augmenter la consommation de légumes des enfants. Une vraie sauce tomate est l'endroit idéal pour dissimuler des tonnes de légumes. Coupez finement carottes, zucchinis, oignons et poivrons rouges, et faites-les sauter dans l'huile avant de les ajouter aux tomates. Réduisez en purée pour obtenir une sauce lisse ou encore faites cuire les légumes à la vapeur, puis réduisez en purée pour créer une sauce presque cuite. Essayez d'ajouter des légumineuses en conserve, par exemple des pois chiches, pour augmenter le contenu nutritionnel, ou ajoutez une cuillère de hoummos ou de fromage à la crème pour créer une délicieuse consistance crémeuse.

Si vos enfants préfèrent les tomates crues, essayez-en différents types, des mignonnes petites tomates cerise aux très grosses tomates Beefsteak (idéales pour farcir).

Les tomates sont une bonne source de bêta-carotène et de vitamines C et E, mais aussi de flavonoïdes et de lycopènes, qui sont efficaces pour réduire le risque de maladies cardiaques et de cancer.

UNE PORTION
1 tomate de taille moyenne

Maximisez les nutriments

Achetez les tomates en petites quantités et mangez-les lorsqu'elles sont mûres pour tirer profit au maximum de leurs avantages nutritifs. Idéalement, conservez les tomates à la température ambiante plutôt qu'au réfrigérateur,

ce qui affaiblirait leur saveur. Les tomates mûries sur pied contiennent plus de vitamine C que celles qui sont cueillies vertes.

Les lycopènes sont également mieux absorbés lorsque les tomates sont cuites et sous une forme concentrée comme une sauce, une pâte ou une soupe. L'absorption du bêta-carotène est rehaussée par la chaleur et l'huile. La vitamine C est surtout présente dans l'enrobage visqueux des graines de la tomate.

COMMENT EN MANGER PLUS...

- *Pour préparer rapidement une sauce tomate, faites revenir une gousse d'ail dans l'huile d'olive et ajoutez une boîte de conserve de tomates italiennes coupées en dés, 1 c. à soupe de pâte de tomate et une pincée de sucre. Cuisez pendant 10 à 15 minutes.*
- *Pour un petit déjeuner rapide, prenez une tranche de pain et grillez-la d'un côté. Ajoutez sur le côté non grillé une tomate fraîche coupée et recouvrez de fromage râpé. Grillez pour faire dorer.*
- *Pour une pizza rapide, coupez en deux un muffin de blé entier et recouvrez d'une cuillère de sauce tomate. Saupoudrez de mozzarella ou de cheddar râpé et grillez jusqu'à ce qu'il soit fondu.*

RISOTTO AU THON TOUT-EN-UN

Les risottos sont parfois longs à préparer, mais cette version ne peut être plus simple. Tout ce que vous avez à faire est de mettre les ingrédients dans un plat allant au four et hop, au four ! Servez avec du brocoli cuit à la vapeur.

POUR 4

- 1 c. à soupe d'huile d'olive
- 25 g/1 oz de beurre
- 1 gros oignon finement coupé
- 2 gousses d'ail finement hachées
- 1 à 2 c. à thé d'origan séché
- 300 g/10½ oz de riz pour risotto
- 1 verre de vin blanc sec
- 500 ml/18 oz liq. de passata (sauce tomate en boîte)
- 500 ml/18 oz liq. de bouillon de légumes
- 300 g/10½ oz de thon en conserve dans l'huile d'olive, égoutté
- 85 g/3 oz de petits pois congelés
- sel et poivre

1 Préchauffez le four à 180 °C/ 350 °F. Chauffez l'huile et le beurre dans un grand poêlon allant au four. Ajoutez l'oignon et faites revenir sur un feu d'intensité moyenne pendant environ 8 minutes. Ajoutez l'ail et l'origan et cuisez pendant une minute de plus. Ajoutez le riz en mélangeant et cuisez pendant quelques minutes.

2 Versez le vin, amenez à ébullition et cuisez jusqu'à ce qu'il se soit évaporé et qu'il n'y ait plus d'odeur d'alcool. Ajoutez maintenant la sauce tomate et le bouillon. Mélangez bien, couvrez et déposez au four pendant 15 minutes.

3 Sortez du four et incorporez le thon, puis cuisez pendant 5 à 10 minutes de plus, jusqu'à ce que le riz soit bien gonflé et tendre. Assaisonnez au goût.

Journées salades

Il existe une variété si impressionnante de laitues... vous en trouverez sûrement quelques-unes que vos enfants aimeront ! Adoptez un thème lorsque vous préparez des salades et variez les ingrédients en conséquence : une salade du jardin, une salade à pique-nique, une salade océanique (voir page ci-contre) ou une salade estivale – avec tous les ingrédients de saison. Le cresson bénéficie normalement d'une réaction positive de la part des enfants et il est facile à cultiver à la maison dans un carton d'œufs contenant de la ouate ou du tissu humide. La roquette et les autres variétés de laitue peuvent être cultivées en pot ou dans des jardinières.

Les vinaigrettes comptent beaucoup dans le succès d'une salade. Faites l'essai de différents vinaigres et huiles. Chez moi, le goût sucré du vinaigre balsamique est unanimement apprécié, alors que les vinaigrettes crémeuses éliminent les saveurs amères.

Il est bon de se rappeler que les feuilles de laitue auraient un effet calmant et sédatif... alors optez pour un grand bol à l'heure de la collation !

UNE PORTION
1 bol à dessert plein

Maximisez les nutriments

Les feuilles extérieures plus foncées contiennent plus de folates, de bêta-carotène, de vitamine C, de calcium et de fer que les feuilles plus pâles du cœur. La valeur nutritive peut aussi varier selon la saison et la fraîcheur des laitues. Les laitues peuvent contenir beaucoup de nitrates et de pesticides, il est donc important de bien les laver, mais de le faire délicatement pour ne pas les endommager (ou encore mieux, achetez-les biologiques) et de les déchirer plutôt que de les couper pour préserver les nutriments. L'huile utilisé dans la vinaigrette augmente la disponibilité du bêta-carotène des feuilles.

COMMENT EN MANGER PLUS...

- *Les grandes feuilles de laitue peuvent être utilisées pour enrober d'autres aliments : remplissez-les de salade de pâtes, de salade de riz ou d'une sélection de légumes grillés, de pesto et de mozzarella.*
- *Combinez les épinards déchiquetés et le cresson à des œufs cuits durs coupés en quatiers, à du bacon croustillant et à des quartiers de tomates pour créer un plat principal.*
- *Préparez un grand plat de salade colorée en disposant des feuilles de laitue, des bâtonnets de poivron, de céleri et de carottes, du concombre tranché, des tomates cerise coupées en deux, du maïs sucré, des olives, des cubes de betterave cuite et des haricots en conserve sur un grand plateau de service. Préparez trois vinaigrettes différentes dans des bols et laissez vos enfants se servir et choisir leur propre vinaigrette.*
- *Transformez le cresson, la laitue ou les épinards en une délicieuse soupe.*

SALADE OCÉANIQUE

Utilisez des pâtes en forme de coquilles pour ajouter une touche maritime à cette salade de crevettes. Vous pouvez utiliser du saumon en conserve (bon pour le cerveau), du maquereau ou du thon au lieu des crevettes. Si vous préparez cette salade pour un lunch, assurez-vous qu'elle peut être réfrigérée, sinon oubliez le poisson et les fruits de mer !

POUR 4

- 150 g/5½ oz de pâtes en forme de coquilles
- 140 g/5 oz de crevettes cuites, ou de saumon, de maquereau ou de thon en conserve
- 8 tomates cerise coupées en deux
- 1 poivron rouge épépiné et coupé en dés
- 2 ciboules finement coupées
- 4 grandes feuilles de laitue iceberg et du cresson pour servir

Pour la vinaigrette :
- 4 c. à soupe de mayonnaise
- 1 c. à soupe d'huile d'olive
- 2 c. à soupe de ketchup aux tomates
- sel et poivre

1 Faites cuire les pâtes dans beaucoup d'eau bouillante salée en suivant les instructions sur l'emballage. Égouttez bien, transférez dans un grand bol et mélangez les pâtes avec un peu d'huile d'olive. Laissez légèrement refroidir.

2 Mélangez les ingrédients de la vinaigrette et assaisonnez au goût.

3 Ajoutez les crevettes (ou l'autre poisson), les tomates, le poivron et les ciboules aux pâtes et versez la vinaigrette. Touillez la salade pour bien mélanger la vinaigrette.

4 Placez les feuilles de laitue iceberg sur les assiettes de service et recouvrez de cresson. Ajoutez la salade de pâtes et servez.

HARICOTS, GERMES ET LÉGUMINEUSES

Luzerne pour toujours !

Inhabituelle puisqu'il s'agit d'un des quelques aliments végétaux qui constituent une protéine complète, la luzerne contient les huit acides aminés essentiels au maintien et à la croissance. Les germes de luzerne sont réputés pour leur capacité de rajeunir et de nettoyer le corps, et de faciliter la digestion. Ils constituent une excellente source de vitamines et de minéraux, procurent calcium, phosphore, potassium et fer, ainsi que des vitamines A, B et C.

Le processus de germination augmente les nutriments que l'on retrouve dans les graines et leur contenu en enzymes. Les enzymes des plantes stimulent le métabolisme et sont excellents pour la peau, contre le stress et la fatigue.

Maximisez les nutriments

Les feuilles, les graines et les germes de luzerne sont tous comestibles. Vous pouvez acheter des germes de luzerne dans les magasins d'aliments naturels et certains supermarchés. Recherchez des germes croustillants et veillez à ce qu'ils ne présentent aucun signe de détérioration. Les germes minces et nutritifs

UNE PORTION
Une poignée

sont abordables mais veillez à les obtenir d'une source fiable. La luzerne est très nutritive lorsqu'elle est consommée crue, et il n'est pas nécessaire de la nettoyer ou de la préparer.

FAITES POUSSER VOTRE PROPRE LUZERNE

La luzerne est incroyablement facile à cultiver à la maison. Si vous impliquez les enfants, il vous sera plus facile de leur en faire manger. Elle ne prend que quelques jours à pousser, mais vous devrez rincer les germes environ quatre fois par jour pour garantir une croissance saine. Veillez à ce que les graines n'aient pas été traitées avec des fongicides.

Vous aurez besoin de :
- graines de luzerne,
- gros pot en vitre,
- petit morceau de mousseline,
- élastique.

1 Choisissez les graines et laissez de côté celles qui sont endommagées, puis trempez-les dans une eau tiède pendant 12 heures. Égouttez bien, puis déposez les graines dans un pot propre et stérilisé.

2 Placez un petit morceau de mousseline sur le dessus du pot et fixez-le avec un élastique. Déposez dans un endroit chaud et éclairé.

3 Rincez les graines dans le pot sous une eau froide, puis égouttez-les. Essayez de ne pas trop déranger les graines. Vous devrez les rincer au moins deux fois par jour, de préférence quatre fois par jour.

4 Les germes seront prêts en 3 à 5 jours ; les graines devraient avoir une mince tige blanche et de petites feuilles vertes. Si la température est froide, il faudra plus de temps aux graines.

5 Transférez les germes dans un contenant hermétique et gardez jusqu'à une semaine au congélateur.

COMMENT EN MANGER PLUS...

- *Saupoudrez de la luzerne sur les salades, dans les sandwichs ou les roulés.*
- *Mélangez une poignée de luzerne avec les burgers maison.*
- *Ajoutez aux sautés, aux soupes, aux ragoûts et aux plats cuits au four.*
- *Combinez-en une poignée avec les pâtés et les trempettes.*
- *Saupoudrez des graines dans la pâte à pain ou à pâtisserie pour lui donner un croquant de noix.*
- *Pour créer une salade d'œuf dans son nid, prenez une feuille de laitue iceberg et recouvrez-la de germes de luzerne. Prenez un œuf cuit dur et coupez-le en deux. Placez l'œuf dans le nid de laitue et de luzerne, et déposez-y une cuillère de mayonnaise.*

Germes de haricots explosifs

Nous sommes familiers avec les germes de haricots mungos, ces longues pousses blanches translucides dont la texture est croustillante et la saveur délicate. Mais les pois chiches, les lentilles, les fèves adzukis et de soja sont également doués pour la germination. Vous pouvez acheter des sacs de germes mélangés dans la plupart des boutiques d'aliments naturels. Vous pouvez aussi facilement en faire germer à la maison. Suivez les instructions pour la luzerne (voir page 109), mais trempez les haricots toute une nuit avant de commencer. Veillez à les rincer 2 à 4 fois par jour. Ils seront prêts en 4 à 6 jours. Si vous ajoutez des germes de haricots aux sautés, ajoutez-en une poignée vers la fin de la cuisson afin de préserver leur croustillant et leurs nutriments qui diminuent pendant la cuisson.

Contrairement à la plupart des fruits et des légumes qui commencent à perdre leurs nutriments dès qu'ils sont cueillis, les germes de haricots continuent d'augmenter leur concentration de vitamines et de minéraux lors de la germination. Il y a environ 30 pour cent plus de vitamines B et 60 pour cent plus de vitamine C dans les germes que dans les haricots à leur état naturel ; une portion individuelle procure presque 100 pour cent de l'apport quotidien recommandé de vitamine C.

UNE PORTION
Une poignée ou 2 à 3 c. à soupe combles

COMMENT EN MANGER PLUS...

- *Les haricots mungos, les pois chiches et les fèves de soja produisent des germes appréciables qui peuvent être dégustés en collation.*
- *Saupoudrez-en une poignée dans les sandwichs, les pitas et les roulés pour augmenter le contenu nutritif. Le hoummos, la guacamole, le fromage râpé et les œufs à la coque sont des accompagnements de choix.*
- *Utilisez le soja, les germes de soja, de pois chiches et de lentilles dans les ragoûts et les plats au four.*
- *Les haricots adzukis germés peuvent être ajoutés aux burgers, aux pains de viande et aux fricassées.*
- *Ajoutez du croquant aux salades avec une poignée de haricots germés. Ils se marient très bien aux autres ingrédients croustillants des salades, comme les poivrons, les carottes et l'oignon.*

Maximisez les nutriments

Recherchez des germes frais et croustillants, idéalement avec le haricot toujours attaché, sans signe de détérioration. Si vous les faites germer vous-même, rangez-les dans un contenant hermétique au réfrigérateur, ils dureront jusqu'à 5 jours. Les germes de haricots sont plus nutritifs lorsqu'ils sont consommés crus et n'ont besoin d'aucune préparation.

ROULEAUX PRINTANIERS AVEC SAUCE TREMPETTE

Les enfants peuvent aider à créer ces rouleaux printaniers croustillants remplis de légumes et de nouilles. Je les cuis au four pour éviter le plus possible d'augmenter leur contenu en gras, mais vous pouvez aussi les faire frire.

POUR 20 ROULEAUX

- 70 g/2½ oz de vermicelles
- 2 c. à thé d'huile d'olive végétale, un peu plus pour badigeonner
- 1 c. à soupe d'huile de sésame grillée
- 2 carottes, coupées en fines languettes
- 1 poivron rouge, coupé en fines languettes
- 2 ciboules, finement coupées sur la longueur
- 100 g/3½ oz de pois mange-tout, finement tranchés en diagonale
- 2,5 cm/1 po de gingembre frais pelé et râpé
- 1 c. à soupe de sauce soja
- 100 g/3½ oz de germes de haricots
- 20 petites enveloppes pour rouleaux printaniers décongelées
- 1 blanc d'œuf légèrement battu

Pour la sauce trempette :
- 4 c. à soupe de sauce aux prunes sucrées
- 1 c. à soupe de sauce soja

1 Trempez les nouilles dans une eau frémissante tel qu'indiqué sur l'emballage. Égouttez, puis passez sous l'eau froide. Coupez les nouilles en petites longueurs.

2 Chauffez l'huile dans le wok. Ajoutez les carottes, le poivron, les ciboules et les pois mange-tout, et faites sauter pendant 3 minutes en mélangeant continuellement. Ajoutez le gingembre, la sauce soja, les germes et cuisez pendant une minute de plus, jusqu'à ce que le liquide s'évapore. Transférez les légumes dans un bol avec les nouilles et mélangez bien ; laissez refroidir.

3 Préchauffez le four à 180 °C/ 350 °F. Placez une enveloppe de rouleau printanier sur une surface de travail et gardez les autres recouvertes d'un linge à vaisselle pour les empêcher de sécher. Versez une cuillère à soupe comble de garniture dans le coin le plus proche de vous, puis repliez le coin sur la garniture, vers le centre. Repliez les deux côtés vers l'intérieur pour emprisonner la garniture, puis continuez de rouler. Badigeonnez le coin extérieur avec un peu de blanc d'œuf et repliez pour sceller. Répétez pour les 20 rouleaux.

4 Badigeonnez légèrement d'huile la plaque de cuisson. Disposez les rouleaux printaniers sur la plaque et badigeonnez chacun d'eau avec de l'huile. Faites cuire au four pendant 15 à 20 minutes, jusqu'à ce qu'ils soient légèrement dorés et croustillants à l'extérieur.

5 Pour faire la sauce trempette, mélangez ensemble la sauce aux prunes et la sauce soja dans un petit bol, puis servez avec les rouleaux printaniers.

Lentilles pleines de vie

La saveur très humble de la lentille et sa texture molle lui permettent de se marier aux saveurs plus fortes et d'être transformée en une pléiade de plats qui plaisent aux enfants, des burgers jusqu'aux soupes. En Inde, les lentilles sont utilisées dans les dahls ou les caris aux lentilles épicés, alors qu'au Moyen-Orient, les lentilles rouges ou jaunes sont mélangées aux épices et aux légumes pour former des boulettes connues sous le nom de kafta, semblables aux falafels. Contrairement aux légumineuses, les lentilles n'ont pas besoin d'être trempées et prennent moins de temps à cuire – la lentille rouge cuit en moins de 20 minutes – pour éventuellement se désintégrer en purée. Idéales pour épaissir les soupes et les plats mijotés ou leur donner de la substance, une poignée de lentilles rouges cuites dans la sauce tomate augmentent instantanément sa valeur nutritive.

Les lentilles vertes et brunes peuvent être mélangées à des herbes ou à des épices pour créer un pâté goûteux, mais on peut aussi les utiliser dans des plats rustiques réconfortants. Elles prennent un peu plus de temps à cuire, mais une fois cuites, elles peuvent être rangées au réfrigérateur pendant quelques jours ou être congelées pour utilisation ultérieure.

Les lentilles procurent une vaste gamme de nutriments, y compris le fer, le zinc, l'acide folique, le manganèse, le sélénium, le phosphore et certaines vitamines

UNE PORTION
2 à 3 c. à soupe

▼

COMMENT EN MANGER PLUS...

- *Cuisez les lentilles dans du bouillon de légumes (en respectant les instructions sur l'emballage) jusqu'à tendreté. Égouttez bien et combinez avec de l'oignon, de l'ail, du céleri, des carottes sautées et un peu de sauce soja. Mélangez pour créer un pâté ou une tartinade.*
- *Ajoutez des lentilles cuites à une salade avec des flocons de thon, du cresson, des tomates en dés, des ciboules et du poivron rouge. Versez sur cette salade une vinaigrette citronnée.*
- *Ajoutez des lentilles rouges cuites aux rôtis, burgers et fricassées pour remplacer les noix, les haricots ou la viande, ou en surplus.*

B. Faibles en gras et contenant beaucoup plus de protéines que la plupart des légumineuses, les lentilles sont aussi une excellente source de fibres.

Maximisez les nutriments

Cuisez les lentilles avec le moins d'eau possible pour maximiser leur contenu en vitamine B ou faites-les cuire dans un ragoût ou dans une soupe. Si vous mangez des lentilles avec des aliments riches en vitamine C, par exemple des tomates, vous absorberez de plus grandes quantités de leur contenu en fer.

SOUPE DE LENTILLES ET DE CAROTTES ÉPICÉE

Réconfortante et bourrative, cette soupe nutritive utilise une pâte d'épices marocaines mais vous pouvez aussi essayer un mélange indien, comme le garam masala. D'un côté comme de l'autre, l'assaisonnement sera subtil.

3

POUR 4

- 1 c. à soupe d'huile d'olive
- 1 gros oignon coupé
- 1 branche de céleri avec les feuilles, coupée en morceaux
- 300 g/10½ oz de carottes en tranches
- 175 g/6 oz de lentilles rouges
- 1 c. à thé de coriandre moulue
- 1 c. à thé de cumin moulu
- 1 c. à thé de curcuma
- 4 tomates, épépinées et coupées
- 1,2 litres/4 tasses de bouillon de légumes
- 1 c. à thé comble de pâte à tajine marocaine
- sel et poivre

Pour les croûtons à l'ail :
- 2 tranches de pain de blé entier d'un jour, sans les croûtes
- 2 gousses d'ail pelées et coupées en deux sur la longueur
- 1 à 2 c. à soupe d'huile d'olive

1 Chauffez l'huile d'olive dans un grand poêlon et faites sauter l'oignon sur un feu d'intensité moyenne pendant 8 minutes. Ajoutez le céleri et les carottes, puis cuisez, en mélangeant souvent, pendant 3 minutes. Ajoutez les lentilles et les épices en mélangeant et cuisez pendant une minute de plus.

2 Ajoutez les tomates et le bouillon, puis amenez à ébullition, en écumant la mousse des lentilles qui se forme à la surface. Réduisez l'intensité du feu, ajoutez la pâte à tajine, puis couvrez à moitié pour poursuivre la cuisson à feu doux pendant environ 20 minutes. Mélangez régulièrement pour empêcher les lentilles de coller au fond.

3 Transférez la soupe au mélangeur ou utilisez une mixette et réduisez jusqu'à consistance lisse. Assaisonnez au goût et réchauffez la soupe au besoin.

4 Pour faire les croûtons, frottez les deux côtés de la tranche de pain avec l'ail. Coupez le pain en cubes et placez dans un petit sac de plastique avec l'huile d'olive. Secouez le sac pour bien recouvrir le pain d'huile, puis faites revenir dans un poêlon à fond épais pour dorer et rendre croustillant. Saupoudrez sur la soupe avant de servir.

Des légumineuses qui ont du punch

Le terme légumineuses inclut les haricots, les fèves et les pois d'une grande famille de plantes, les *leguminosæ*. Un de ses membres, le haricot rond blanc, sert à faire des fèves au lard qui, j'en suis bien heureuse, comptent dans les principes directeurs des cinq portions par jour ! La plupart des enfants ont une période pour et contre les fèves au lard. Et elles s'avèrent très pratiques en réserve dans l'armoire. La variété faible en sel et en sucre est maintenant facile à trouver, et même si les enfants prendront un certain temps à s'y habituer, ses avantages pour la santé les rendent faciles à choisir.

N'oubliez pas les autres types de légumineuses, puisque ces graines comestibles de plantes comportent de nombreux avantages pour la santé, proposant une grande quantité d'énergie à libération lente, grâce à une combinaison de glucides, de protéines et de fibres solubles, toutes sous une forme faible en gras.

Elles sont très bourratives : un repas qui contient des légumineuses vous rassasiera plus longtemps que la plupart des autres aliments ; un avantage non négligeable, en particulier pour les parents dont les enfants grignotent souvent. Il existe plusieurs types de légumineuses parmi lesquelles choisir, et leur capacité à ajouter de la substance et à absorber les saveurs des autres aliments leur confèrent une grande polyvalence. Utilisez-les dans les burgers maison, des pains de légumes ou de viande, des pâtés, des ragoûts, des soupes, des trempettes, des salades, des caris, des sauces pour pâtes, combinées avec du riz, et bien plus. Toutefois, il est utile de se rappeler que les légumineuses ne comptent que pour une portion de légumes, peu importe combien vous en mangez dans une journée.

UNE PORTION
2 à 3 c. à soupe combles

Les légumineuses séchées sont économiques mais nécessitent une certaine planification puisqu'elles doivent tremper et cuire longtemps. Si c'est trop compliqué pour vous, les légumineuses en conserve sont une excellente alternative. Les méthodes de mise en conserve modernes permettent aux légumineuses d'être plus nutritives que les légumineuses fraîches ou séchées, en particulier si vous les conservez depuis longtemps. Les fibres contenues dans les légumineuses en conserve sont plus faciles à absorber par le corps. Faites attention lorsque vous donnez des aliments riches en fibres aux bébés et aux jeunes enfants puisqu'ils risquent de les trouver difficiles à digérer en grandes quantités. Ils pourraient avoir des maux d'estomac ou perdre l'appétit.

Les légumineuses en conserve ont tendance à être plus molles que les légumineuses séchées cuites, vous avez donc tout intérêt à les réchauffer tout simplement. Elles sont faciles à réduire en purée ; elles sont donc faciles à ajouter dans des mets que les enfants aiment, soit les burgers, les fricassées, les purées de haricots et de pommes de terre, les farces et les trempettes. Tentez toutefois d'éviter les légumineuses en conserve qui contiennent du sel et parfois du sucre ajoutés, que l'on reconnaît généralement lorsque l'étiquette précise qu'elles sont dans la saumure.

Si ce sont les seules disponibles, assurez-vous de bien les égoutter et de les rincer avant de les utiliser.

Les légumineuses sont riches en fer, en potassium, en phosphore, en folates, en magnésium, en manganèse et en plusieurs vitamines B. Elles contiennent également une concentration de phytonutriments dont les lignines, reconnues pour leur propriétés protectrices pour le cœur et leurs propriétés anti-cancer.

Maximisez les nutriments

Une récente étude menée par le UK Canned Food Association a révélé que les haricots rouges en conserve contiennent deux fois plus de calcium que les haricots rouges secs cuits, alors que les pois chiches en conserve sont similaires aux frais, mais fournissent 35 pour cent plus de vitamine E. Les aliments acides tels les tomates, le vinaigre et le jus de citron durcissent les légumineuses séchées (tout comme le sel) pendant la cuisson, ce qui les rend plus difficiles à digérer. Il est préférable d'ajouter ces ingrédients une fois les légumineuses ramollies, ou d'utiliser des légumineuses en conserve.

Il est maintenant possible d'acheter des légumineuses fraîches, mais assurez- vous qu'elles sont aussi fraîches et jeunes que possible pour éviter toute perte de nutriments. Il est préférable d'acheter les légumineuses séchées en petites quantités dans des commerces où le roulement est régulier. Plus elles sont vieilles, plus elles sèchent et plus leur contenu nutritif est faible. Évitez les légumineuses séchées qui ont une apparence poussiéreuse et sale. Les légumineuses se conservent mieux dans un contenant hermétique, dans un endroit frais, sombre et sec.

COMMENT EN MANGER PLUS...

- *Ajoutez des haricots secs aux soupes du commerce.*
- *Ajoutez des cannellinos en purée ou écrasés, des haricots de Lima ou des haricots de Madagascar pour augmenter le contenu nutritionnel des pommes de terre en purée.*
- *Ajoutez des fèves au lard à une casserole de saucisses ou à un ragoût de légumes.*
- *Préparez vos fèves au lard faibles en sel et en sucre en mélangeant 1 c. à soupe d'huile d'olive, une boîte de 200 g/7 oz de haricots ronds blancs égouttés, 150 ml/5 oz liq. de sauce tomate, 1 c. à thé de moutarde de Dijon, 1 c. à soupe de sauce Worcestershire, de sirop d'érable et de pâte de tomates dans un poêlon. Amenez à ébullition, puis réduisez le feu, à demi couvert, et cuisez pendant 15 à 20 minutes, jusqu'à ce que la sauce réduise et épaississe.*
- *Les pois chiches contribuent à alléger les caris et les plats faits avec des nouilles.*
- *Mélangez des tomates crues coupées en petits morceaux dans des fèves au lard en conserve.*

Lesquelles choisir

Voici les légumineuses les plus faciles à trouver et des conseils sur les façons de les utiliser.

- **Les haricots adzukis** sont des petits haricots rouges ou jaunes dont le goût est sucré et noisetté. Ils sont populaires dans la cuisine chinoise qui les transforme en pâte de haricots rouges, mais qui peuvent aussi être ajoutés aux ragoûts et aux plats au four. Ils contiennent plus de zinc que les autres légumineuses et sont aussi savoureux germés.

- **Les haricots cannellonis** ont la forme d'un poumon et une texture douce et crémeuse, avec une peau légèrement ferme. Utilisez-les pour remplacer les haricots blancs ronds dans les ragoûts, les purées ou les trempettes.

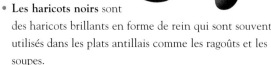

- **Les haricots borlotti** sont de forme ovale et ont une peau rosée-brune et une saveur légèrement sucrée. Ils s'harmonisent bien aux ragoûts ou aux soupes.

- **Les gourganes ou féveroles** sont normalement achetées fraîches ou congelées. Leur peau extérieure peut être très coriace, il est donc préférable de les peler après la cuisson.

- **Les flageolets** sont petits, de couleur vert menthe, et leur saveur délicate plaît souvent aux enfants. Ils sont parfaits dans les salades, les trempettes et les purées.

- **Les pois chiches** ont une texture et une saveur noisettée. Ils sont utilisés principalement dans la cuisine méditerranéenne et celle du Moyen-Orient.

- **Les haricots noirs** sont des haricots brillants en forme de rein qui sont souvent utilisés dans les plats antillais comme les ragoûts et les soupes.

- **Les haricots à œil noir** ou doliques sont souvent utilisés dans la cuisine créole ou indienne. Les haricots de couleur crémeuse ont une tache noire caractéristique d'un côté et sont succulents dans les caris, les soupes et les plats au four.

- **Les haricots de Lima** et **les haricots de Madagascar** sont semblables en apparence et en saveur. Les haricots légèrement plats en forme de rein ont une texture douce et farineuse lorsqu'ils sont cuits, ils sont donc idéaux en purée ou écrasés dans des soupes et des ragoûts.

- **Les haricots ronds blancs** sont utilisés pour faire les fèves au lard en conserve. De couleur ivoire et de forme ovale, ils conviennent tout particulièrement aux plats à cuisson lente comme les ragoûts et les plats mijotés.

- **Les haricots Pinto** sont une version plus petite du haricot borlotti et sont souvent appelés haricots « peints » étant donnée leur peau bigarrée. Combinés à l'ail, au chili, aux tomates et à l'huile puis réduits en purée, ils peuvent être servis avec des tortillas chaudes, on les retrouve surtout dans les haricots frits mexicains.

- **Les haricots rouges** conservent leur forme et leur couleur une fois cuits et sont utilisés pour créer des

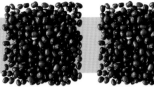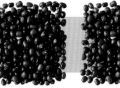

chilis piquants ainsi que des haricots frits. Ils constituent également un ajout coloré aux salades.

- **Les haricots mungos** sont mieux connus sous leur forme germée (voir pages 110-111). De couleur olive, ils sont mous et légèrement sucrés lorsque cuits et sont tout particulièrement succulents dans les caris.
- **Le soja est très sain**, étant un des rares aliments végétaux à constituer une protéine complète (voir pages 122-125).

Comment préparer et cuire les légumineuses séchées

On ne s'entend pas sur la nécessité de faire tremper les légumineuses avant de les faire cuire. L'opération aide cependant à réduire le temps de cuisson et à les rendre plus digestibles. Rincez les légumineuses dans une passoire sous l'eau froide, puis déposez-les dans un bol et recouvrez d'eau froide. Laissez tremper jusqu'au lendemain. Il existe une méthode de trempage rapide, très pratique si vous oubliez de les faire tremper d'avance. Après le rinçage, placez les légumineuses dans un poêlon, couvrez avec de l'eau froide, amenez à ébullition et cuisez pendant 3 minutes. Retirez du feu et laissez reposer, à couvert, pendant 45 à 60 minutes. Rincez les légumineuses de nouveau, puis remettez-les dans le poêlon, recouvrez de plus d'eau froide et amenez à ébullition. Faites bouillir rapidement pendant 10 à 15 minutes (15 minutes pour les haricots rouges), puis réduisez l'intensité du feu et laissez mijoter jusqu'à tendreté (consultez le tableau des temps de cuisson). N'ajoutez pas de sel à l'eau de cuisson puisque cela fera durcir les haricots.

Temps de cuisson des légumineuses séchées

Voici un guide général puisque les temps de cuisson varient en fonction de l'âge des légumineuses.

Haricots adzukis	30 à 45 minutes
Haricots noirs	1 heure
Haricots à œil noir ou doliques	45 à 60 minutes
Haricots borlotti	1–1½ heure
Gourganes	1½ heure
Haricots de Madagascar/Lima	1–1¼ heure
Haricots cannellonis	1 heure
Pois chiches	1½–2 heures
Flageolets	1½ heure
Haricots blancs ronds	1–1½ heure
Haricots rouges	1–1½ heure
Haricots mungos	25 à 40 minutes
Haricots Pinto	1–1¼ heure
Soja	2 à 3 heure

TACOS AUX HARICOTS MEXICAINS

Les tacos sont le contenant parfait pour la viande, les légumes et les ragoûts à base de haricots. Servez les tacos avec des bâtonnets de concombre et de poivron, ainsi que de la laitue déchiquetée.

POUR 4

- 1 c. à soupe d'huile d'olive
- 1 gros oignon finement coupé
- 1 branche de céleri finement coupée
- 1 gros poivron rouge épépiné et coupé en dés
- 1 grosse carotte finement râpée
- 1 grosse gousse d'ail écrasée
- 1 c. à thé d'origan séché
- ½ c. à thé de paprika
- 1 c. à thé de coriandre moulue
- 400 g/14 oz de tomates en dés en conserve
- 400 g/14 oz de haricots rouges en conserve sans sel ou sucre ajouté, égouttés et rincés
- 75 ml/2½ oz liq. de bouillon de légumes
- sel et poivre

Pour servir :
- 6 à 8 tacos
- fromage râpé
- crème sure ou guacamole

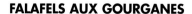

1 Faites chauffer l'huile dans un poêlon à fond épais et faites revenir l'oignon pendant 8 minutes jusqu'à ce qu'il ramollisse. Ajoutez le céleri, le poivron rouge, la carotte, l'ail, l'origan et les épices, et cuisez pendant 6 minutes de plus, en mélangeant souvent.

2 Ajoutez les tomates, les haricots rouges et le bouillon, puis portez à ébullition. Réduisez l'intensité du feu et laissez mijoter pendant 10 à 15 minutes, jusqu'à ce que la sauce réduise et épaississe ; vous pouvez ajouter de l'eau si elle vous semble trop sèche.

3 Réchauffez les tacos, ajoutez le mélange dans chacun, saupoudrez de fromage et ajoutez une cuillère de crème sure ou de guacamole avant de servir.

FALAFELS AUX GOURGANES

Parfaits pour la boîte à lunch, ces falafels aux haricots mélangés sont aussi bons chauds que froids. Les mini pitas sont pratiques pour les enfants et peuvent contenir chacun quelques falafels. Je vous suggère quelques accompagnements qui augmentent l'apport en légumes.

POUR 4

- 140 g/5 oz de gourganes dans leur cosse, fraîches ou congelées
- 125 g/4½ oz de pois chiches en conserve (poids égouttés), rincés
- 2 gousses d'ail écrasées
- 2 ciboules finement tranchées
- 1 c. à thé de cumin moulu
- 1 c. à thé de coriandre moulue
- 1 c. à thé de jus de citron
- 1 c. à soupe de menthe fraîche hachée
- 1 c. à soupe de persil frais haché
- 1 œuf battu
- sel et poivre
- farine, pour enfariner
- huile de tournesol, pour la friture

Pour servir :
- mini pain pita,
- guacamole,
- laitue tranchée,
- tomate tranchée.

1 Cuisez les gourganes à la vapeur pendant 2 minutes, puis refroidissez-les sous l'eau froide.

2 Écossez les gourganes et passez-les au robot culinaire avec les pois chiches, l'ail, les ciboules, les épices, le jus de citron, les herbes et l'œuf. Assaisonnez bien et mélangez jusqu'à obtention d'une pâte brute. Refroidissez pendant une heure pour laisser le temps au mélange de se raffermir.

3 Les mains enfarinées, formez 12 boules de la taille d'une noix, puis roulez dans la farine de tous les côtés. Secouez pour éliminer le surplus de farine.

4 Chauffez 1 c. à soupe d'huile dans un poêlon et cuisez les falafels, quelques-uns à la fois (en rajoutant de l'huile au besoin) pendant 6 minutes, en les tournant à l'occasion, jusqu'à ce qu'ils soient dorés. Égouttez sur un papier essuie-tout et servez 2 falafels dans chaque pita, avec une cuillère de guacamole et des tranches de tomates, puis de la laitue.

BURGERS AUX POIS CHICHES NOISETTÉS

Ces burgers ne peuvent être plus faciles à faire et proposent une combinaison nutritive de haricots, de légumes et de noix. Servez-les dans des pains de blé entier avec des graines de sésame, du hoummos, des tranches de tomate, de la laitue et des germes de luzerne.

POUR 6

- 400 g/14 oz de pois chiches en conserve sans sel ou sucre ajouté, égouttés et rincés
- 1 gros oignon râpé
- 2 gousses d'ail écrasées
- 1 carotte finement râpée
- ½ c. à thé de moutarde en poudre
- 2 c. à soupe de beurre d'arachide
- 100 g/3½ oz de noix de cajou non salées
- 1 tranche de pain de blé entier
- 1 œuf battu
- sel et poivre
- farine, pour enfariner
- 2 c. à soupe d'huile de tournesol, pour la friture

1 Déposez tous les ingrédients, sauf la farine et l'huile, dans le robot culinaire et créez une purée grossière. Laissez refroidir le mélange pendant 30 minutes.

2 Les mains enfarinées, divisez le mélange en 6 burgers et enfarinez-les légèrement. Éliminez le surplus de farine.

3 Chauffez l'huile dans un poêlon à frire à fond épais et cuisez les burgers 3 à la fois (en ajoutant plus d'huile au besoin) pendant 4 minutes de chaque côté, jusqu'à ce qu'ils soient dorés.

TREMPETTES ET TREMPEURS

Les enfants aiment les aliments en bouchées. D'ailleurs, ces trempettes et trempeurs nutritifs constituent un repas léger ou une collation bien populaire, et peuvent être servis pour une fête. Pour ajouter à l'attrait, vous pouvez servir les trempettes dans des pains évidés et piquer les trempeurs sur des bâtonnets à cocktail à l'extérieur du pain pour créer un drôle d'hérisson.

POUR 10

Trempette aux haricots cannellonis

- 2 c. à soupe d'huile d'olive
- 2 gousses d'ail écrasées
- 400 g/14 oz de haricots cannellonis en conserve sans sel ou sucre ajouté, égouttés et rincés
- jus de ½–1 citron, au goût
- 1 c. à thé d'origan séché
- 2 c. à soupe d'eau
- sel et poivre

1 Chauffez l'huile dans un poêlon et cuisez l'ail pendant 1 minute. Ajoutez les haricots, le jus de citron, l'origan et l'eau, puis chauffez bien en mélangeant sans arrêt.

2 Transférez le mélange aux haricots dans un robot culinaire et amenez à consistance lisse. Assaisonnez et servez chaud ou froid.

Hoummos aux poivrons rouges

- 1 gros poivron rouge épépiné et coupé en quartiers
- 4 c. à soupe d'huile d'olive extra vierge
- 400 g/14 oz de pois chiches en conserve sans sel ou sucre ajouté, égouttés et rincés
- 2 gousses d'ail écrasées
- 2 c. à soupe de tahini
- 2 c. à soupe d'eau chaude
- jus de 1 citron
- sel et poivre

1 Préchauffez le four à 200 °C/ 400 °F. Placez le poivron dans un plat à rôtir avec une c. à soupe d'huile. Faites rôtir le poivron pendant 30 minutes jusqu'à ce qu'il soit tendre et que la peau commence à boursoufler. Placez dans un sac de plastique, laissez légèrement refroidir, puis pelez la peau.

2 Placez le poivron, les pois chiches, l'ail, le tahini, l'eau, le jus de citron et le reste de l'huile dans un robot culinaire ou un mélangeur et réduisez en purée lisse. Assaisonnez au goût.

Trempette aux haricots et à l'avocat

- 200 g/7 oz de haricots cannellonis en conserve sans sel ou sucre ajouté, égouttés et rincés
- 1 gros avocat, noyau enlevé et chair retirée
- 1 petit concombre pelé et coupé en petits morceaux
- 2 gousses d'ail écrasées
- 200 ml/7 oz liq. de lait
- jus de 1 à 2 limes, au goût
- 4 c. à soupe de menthe
- 2 c. à soupe d'huile d'olive extra vierge
- sel et poivre

1 Mettez les haricots, l'avocat, le concombre, l'ail, le lait, le jus d'une lime, la menthe et l'huile dans le mélangeur. Amenez à consistance lisse.

2 Goûtez et ajoutez plus de jus de lime, le cas échéant, puis assaisonnez. Mélangez de nouveau si vous ajoutez du jus de lime.

Soja satisfaisant

Superhéros du monde des haricots, le soja est la plus nutritive de toutes les légumineuses. Connu comme étant la « viande de la terre » en Chine, il compte parmi les quelques aliments végétaux qui constituent une protéine complète, ce qui signifie qu'il contient tous les acides aminés essentiels (blocs d'accumulation des protéines) ; c'est une qualité normalement réservée aux aliments d'origine animale, dont la viande, le poisson, les œufs et les produits laitiers.

Les petites fèves ovales qui varient en couleur de jaune crémeux à brun et noir, sont meilleures dans les plats très savoureux qui contiennent de l'ail, des herbes ou des épices, par exemple les caris, les ragoûts, les plats orientaux et les soupes consistantes. Le soja peut aussi être germé et ajouté aux salades et aux sautés Ajout idéal aux boîtes à lunch, les collations de soja croquant de différentes saveurs, vendues dans les boutiques d'aliments naturels, s'avèrent une alternative saine aux croustilles et aux craquelins.

Mais le soja, c'est bien plus que des fèves. Le tofu (fromage de soja) est fabriqué de la même façon que le fromage à pâte molle et même s'il n'est pas officiellement dans la liste des 5 portions de fruits et légumes par jour, c'est un produit dérivé du soja (comme le jus de pomme est dérivé des pommes) et il contient plusieurs de ses bienfaits pour la santé. Oui, le tofu a une saveur très douce, mais c'est justement grâce à elle qu'il est si poly-valent et qu'il peut prendre la saveur des autres ingrédients qu'il accompagne. À mon avis, il est essentiel de le mariner – non seulement pour ajouter de la saveur, mais certains ingrédients tels le miel ou le sirop d'érable lui procurent un enrobage croustillant et brillant. Coupez le tofu en cubes ou en tranches et marinez-le dans une pâte de cari, des haricots noirs chinois, des haricots jaunes ou de la sauce teriyaki, de l'huile, des herbes ou des épices. Râpez le tofu ferme et utilisez-le pour ajouter de la consistance aux burgers et aux fricassées, ou laissez-le remplacer la viande dans la sauce bolognaise, les sautés, les ragoûts ou les caris. Le tofu mariné ou fumé est bon lorsque cuit au barbecue ou rôti.

Le tempeh est semblable au tofu mais contient davantage de la fève entière et propose une saveur noisettée rappelant le champignon. Il peut être utilisé de la même façon que le tofu.

Les chercheurs ont découvert que les fèves de soja et les produits dérivés du soja pourraient réduire le mauvais cholestérol dans le corps jusqu'à 35 ou 40 pour cent. Les fèves de soja sont aussi la source la plus riche d'isoflavones, un type d'oestrogènes végétal qui protège contre certaines formes de cancer et favorise la santé des os. Le tofu et le tempeh sont une bonne source de calcium, de magnésium, de phosphore, de fer, de zinc, de certaines vitamines B et de vitamine E.

UNE PORTION
2 à 3 c. à soupe
combles

Maximisez les nutriments

Si vous achetez du tofu frais, assurez-vous qu'il sent frais et qu'il est recouvert d'eau. Lorsque vous arrivez à la maison, changez l'eau, rangez-le au réfrigérateur et utilisez au plus tard dans les quatre jours. Le tofu emballé est vendu dans un sachet hermétique contenant de l'eau qu'il n'est pas nécessaire de changer. Si vous faites cuire les fèves de soja, respectez les mêmes directives que pour les autres haricots séchés (voir page 117) afin de préserver leurs nutriments.

▼

COMMENT EN MANGER PLUS...

- *Ajoutez des fèves de soja cuites à une ratatouille maison ou du commerce.*
- *Mélangez du tofu à texture fine avec des bananes et des fraises, sucrez avec du miel ou du sirop d'érable et diluez avec du lait pour créer une boisson fouettée aussi savoureuse que nutritive.*
- *Tranchez ou coupez en cubes du tofu fumé et préparez une salade de carottes râpées, de chou blanc, de ciboules et de nouilles aux œufs. Mouillez avec de l'huile de sésame grillée, de l'huile d'olive, de la sauce soja et de l'ail écrasé.*
- *Marinez des cubes de tofu dans du vinaigre balsamique, du miel, de l'huile d'olive, du jus d'orange et des herbes pendant au moins 1 heure. Enfilez sur des brochettes de bois et faites griller pour dorer. Servez avec une salsa aux tomates ou une trempette à l'ail.*
- *Ajoutez du tofu en cubes à une soupe aux légumes, puis mélangez une fois cuit jusqu'à ce qu'il devienne crémeux.*
- *Râpez du tofu ou du tempeh frais et mélangez avec une pâte à cari thaï ou indien, ajoutez suffisamment de farine pour façonner le mélange en galettes. Refroidissez pendant 30 minutes, puis faites frire jusqu'à ce qu'elles soient dorées.*

TOFU CHINOIS DORÉ AVEC NOUILLES

Le tofu mariné avec des haricots noirs fait partie des plats préférés chez moi. Lorsque le tofu est grillé, il développe une enveloppe croustillante et lustrée mais demeure mou à l'intérieur.

POUR 4

- 325 g/11½ oz de tofu ou de tempeh ferme
- 1 c. à soupe d'huile de tournesol, un peu plus pour huiler
- 250 g/9 oz de petites fleurs de brocoli
- 1 gros poivron rouge épépiné et tranché
- 200 g/7 oz de pois mange-tout
- 2 bok-choi, coupés en deux sur la longueur et tranchés
- 1 gousse d'ail finement hachée
- 100 ml/3½ oz liq. de jus d'orange frais
- 1 c. à soupe de sauce soja
- 250 g/9 oz de nouilles aux œufs
- sel
- graines de sésame, pour le service

Marinade :
- 1 gousse d'ail finement tranchée
- 2 c. à thé de gingembre frais, pelé et râpé
- 2 c. à thé de miel liquide
- 1 c. à soupe de sauce soja
- 1 c. à soupe d'huile de sésame grillée
- 250 g/9 oz de sauce aux haricots noirs en pot

1 Tamponnez le tofu pour l'assécher avec un linge de cuisine et coupez en cubes. Mélangez ensemble les ingrédients de la marinade dans un plat peu profond. Ajoutez le tofu et tournez-le délicatement dans la marinade pour bien le recouvrir. Laissez mariner pendant environ une heure, en retournant à l'occasion.

2 Préchauffez le four à 180 °C/ 350 °F. Placez le tofu, en réservant la marinade, sur une plaque

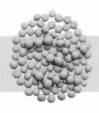

de cuisson légèrement huilée et rôtissez pendant environ 25 minutes, en le tournant à la moitié du temps de cuisson, jusqu'à ce qu'il soit croustillant et doré.

3 Pendant ce temps, chauffez l'huile dans un wok, puis ajoutez le brocoli et sautez-le pendant 3 minutes, puis ajoutez le poivre, les pois mange-tout, le bok-choi et l'ail, et sautez pendant 2 minutes de plus.

4 Pendant ce temps, faites cuire les nouilles selon les instructions de l'emballage.

5 Versez le jus d'orange, la sauce soja et la marinade réservée dans le wok, et sautez jusqu'à ce que la sauce épaississe et que les légumes soient tendres.

6 Répartissez les nouilles en quatre bols, ajoutez les légumes et la sauce. Disposez tofu sur le dessus et saupoudrez de graines de sésame avant de servir.

GRIGNOTINES DE SOJA

Ces collations dorées et croquantes sont une alternative saine et savoureuse aux croustilles et aux noix salées et grasses. Vous pouvez aussi les saupoudrer sur les sautés, les salades et les ragoûts.

POUR 15

- 225 g/8 oz fèves de soja séchées
- 1½ c. à soupe de sauce soja
- 2 c. à thé de miel liquide
- 2 c. à soupe d'huile de sésame grillée
- 1 c. à thé d'huile de tournesol

1 Choisissez des fèves de soja et éliminez celles qui sont endommagées ou ratatinées. Déposez les fèves dans un grand bol et recouvrez-les d'eau froide. Laissez tremper jusqu'au lendemain.

2 Égouttez et rincez les fèves sous l'eau froide et déposez-les dans un grand poêlon. Recouvrez de beaucoup d'eau froide et amenez à ébullition. Laissez bouillir pendant 5 minutes, en écumant la mousse qui se forme à la surface.

3 Réduisez l'intensité du feu et laissez mijoter à feu doux, en ajoutant plus d'eau au besoin, pendant environ 2 heures, jusqu'à tendreté. Égouttez bien et laissez refroidir.

4 Préchauffez le four à 160°C/ 325°F. Mélangez ensemble la sauce soja, le miel et les huiles dans un bol. Ajoutez les fèves et mélangez jusqu'à ce qu'elles soient recouvertes de marinade. Versez les fèves sur une plaque de cuisson et rôtissez au four pendant environ 25 à 30 minutes, jusqu'à ce qu'elles deviennent doré foncé. Laissez refroidir légèrement avant de manger.

Carroll & Brown aimerait remercier :

Maquette : Emily Cook, Laura de Grasse
Photographie supplémentaire : Roger Dixon
www.thinkvegetables.co.uk : MW Mack
Gestion des TI : Paul Stradling
Correctrice d'épreuves : Alison Mackonochie
Index : Madeline Weston
Recherche des illustrations : Sandra Schneider

Crédits photo
Getty Images 5, 7, 44, 58, 66